COLLECTION
L'IMAGINAIRE

Henri Calet

La belle lurette

Gallimard

Chose due à R.D.

I

Je suis un produit d'avant-guerre. Je suis né dans un ventre corseté, un ventre 1900. Mauvais début.

Ils pataugeaient dans le chemin des pauvres, mon père de vingt ans et ma mère, qui devait avoir bien du charme avec sa trentaine ; j'en juge d'après les photographies que j'ai vues.

Ils se sont rencontrés. Mon père, sur l'instant, se fit tatouer un cœur allégorique, traversé d'une flèche, sous le biceps gauche, parce qu'il était amoureux. Ils se sont mis « à la colle », c'est l'expression de ce temps, je suis venu, et on est parti tous les trois.

Tas petit de chair molle, oublié au fond d'un tiroir de commode aménagé sommairement en berceau, j'ai fait ma collection d'images. J'ai empli mes yeux vides avec les fleurs du mur ; la flamme remuante et plusieurs fois pointue de la lampe à pétrole ; les lézardes sinueuses, sombres sur le plafond gris.

Bercé dans les grands bras solides, confiant, serré contre une poitrine chaude, j'ai eu les bons jours de la vie dans le vide.

Rien que du chaud.

Le lait blanc, en jet, du corps de ma mère et qui chatouille le gosier ; l'odeur de la bouche de mon père, tabac et Pernod mêlés, qui venait chez moi, au travers des poils de moustache noirs, en même temps que des mots ; la marche des mains sur la peau de mon corps, caresse qui partait du nombril et remontait jusqu'à la gorge... la p'tite bête qui monte, qui monte, qui monte... Kirikiriki...

Par la fenêtre-tabatière, le soleil, en rayons, entrait et me trouvait dans mon tiroir. J'en avais plein la figure.

Le bain de ciel.

Dans cette même lucarne, il y avait la ville, Paris, et les pointes d'églises embrumées jusqu'à la nuit. Jusqu'à la lune. À ce moment, et d'un coup, les hommes avec leurs fenêtres faisaient des tas d'étoiles.

Tout cela, et les jeux de pieds dans l'air, me faisait bien rire, souvent et bruyamment.

Je rigolais ma vie.

Pendant des mois, je fus muet. Mes petites affaires, je les gardais pour moi, derrière le front. Et puis, les mots des grandes personnes sont sortis, d'abord « papa », ensuite tous les autres.

Vint le contact des pieds et du sol dur. Premiers pas, tenu par un volant de ma robe blanche, et chutes. Quelque temps encore j'ai joué à « Tu me tiens, je te tiens par la barbichette », la main serrée sur le bouc paternel, jusqu'au beau jour où, lâchant les saillies, je suis parti dans un élan, château branlant, sur mes jambes courtes.

Je suis descendu dans l'impasse pour faire des échanges de mots et des conversations de phrases brèves avec de petits amis, près de la pompe.

Mon épingle était dans le jeu.

*

L'impasse était étroite. D'un côté : la rue Montante ; de l'autre : un mur.

Voie sans issue.

En des échoppes prospérait un bas commerce :

Le boucher, serré dans sa veste rayée en long, blanc et bleu, qui vendait de la petite viande — nous adorions ça — viande pour chiens à cinq sous la livre, avec beaucoup d'os.

L'épicier, « La Gourme », avait un nez purulent et tous ses produits sentaient également le pétrole en raison de l'exiguïté des lieux. Il nous accordait un certain crédit.

La tripière aux joues roses derrière son étal de tranches de foie luisantes et sombres, de mou en tas, de cœurs graisseux grands et petits, de cervelles aplaties, de tripes frisottées. Le tout bien sanglant.

Et des petits métiers désespérés :

La rempailleuse de chaises et le raccommodeur de faïence et de porcelaine. Un ménage uni par ces deux professions corollaires.

Le gnaf qui tapait du cuir.

L'accordéoniste venait par habitude, s'asseyait sur sa caisse et tirait sur son instrument, comme ils font tous. Dans le rythme, sa grosse tête s'agitait, toujours du même côté et par saccades rapides. Pour tout dire, il semblait qu'à peine installé il eût voulu se décoller de là. Il avait des yeux rouges et sans cils. Il ne voyait pas clair.

La ruelle était aussi un refuge pour les marchands à la sauvette — citrons, échalote, ail, thym, laurier en poignées — qui affluaient comme un coup de vent à l'arrivée des flics ; pour les putains pâles, en cheveux, qui répétaient des invites dans le courant d'air et faisaient les cent pas, sans fin ; pour les deux chevaux de renfort, osseux, qui, en attendant l'omnibus inévitable, faisaient des flaques d'urine mousseuse et des monticules de crottin doré ; pour les amoureux qui venaient s'embrasser et souffler fort, contre un mur ; pour les pouilleux qui venaient dormir un peu, sous des sacs, dans les angles ; pour les jeunes gens qui venaient se battre, par terre ; pour les ivrognes qui venaient, en chantant, pisser sur la nuit...

De toutes les façades plates et mates, la nôtre était la plus haute.

« Grand Hôtel des Laborieux. »

Les cabinets meublés pour insoumis et filles soumises coûtaient trois francs la semaine ; ceux qui donnaient sur la cour, car sur le devant, pour filles de joie et monte-en-l'air, c'était plus cher : cinq francs. À cause, vraisemblablement, de la vue.

Pour expliquer l'enseigne au gaz, en lettres jaunes sur fond lie-de-vin, et pour rien du tout ou pour pas grand-chose, quelques cartonnières en chambre s'épuisaient.

*

Je n'eus plus six mois, je n'eus plus un an. J'eus des culottes et deux ans.

Au petit jour, à la cloche de bois silencieuse, un jour nous avons quitté l'impasse. Les paquets furent chargés sur une voiture à bras ; comme nous n'avions que peu de cliques et de claques, maman et moi nous assîmes dessus. Mon père s'est attelé dans les brancards.

« Hue Cocotte ! » ai-je crié.

Il a galopé de Belleville à Grenelle.

À travers Paris.

En pleine belle lurette.

Et nous avons ri durant tout le voyage.

II

Je fus précoce. Sur la fin de ma troisième année, j'étais déjà exhibé par mon père dans tous les bistrots de l'endroit. Il y en avait. Hissé sur les tables de marbre, je braillais : « Vive la Sociale ! » et « Mort aux vaches ! » Babil.

Les copains exultaient et c'était, chaque fois, une tournée générale, dont une petite grenadine pour moi.

Mon père, tout fier de son système d'éducation, recevait les félicitations avec un sourire modeste. Il était socialisant, mon père ; il avait participé à l'agitation des rues dans les jours de « l'Affaire ». Du bon côté, naturellement.

Nous étions inséparables et faisions des grandes balades. Les pieds se posaient sur les trottoirs clairs, sans boue des avenues larges des quartiers chics. Les miens, pareils à deux boules ; les siens, longs dans des chaussures noires qui n'étaient pas à son pied et dont le dessus était crevé au rasoir, pour l'aisance des orteils.

Il me conduisait par la main en racontant, à hauteur d'homme, loin de moi, des histoires sans queue ni tête que je n'écoutais pas, tout au jeu des yeux fermés pour voir des clartés orangées. Je disais que je regardais mon sang et les enfants me comprendront.

Ce n'étaient pas des promenades sans but. Non. Mon père me déposait sur un banc, s'asseyait à mon côté et toussait pour fendre les âmes. Avec moi, avec son allure intéressante de type qui ne fera pas de vieux os, il appâtait. Le coup était immanquable. La bonne âme, fendue, venait, souriante...

— Oh ! le joli petit garçon.

— Pas un rond pour lui acheter du lait, exhalait mon père entre deux quintes et assez sévèrement.

C'était pour son tabac qu'il aimait frais, c'est-à-dire ni trop humide ni trop sec.

Alors que, de la sorte, nous nous amusions, ma mère, tous rideaux tirés, travaillait. Elle fabriquait de la fausse monnaie : des pièces de vingt et de quarante sous. Une industrie peu lucrative et pleine de périls. Travaux forcés à perpétuité pour le contrefacteur ; c'est écrit sur tous les billets. L'écoulement était malaisé quoique l'exécution fût, il faut le dire, soignée. Le son, le poids tout s'y trouvait. Seulement, la pièce enfermée le soir dans le tiroir-caisse, en sortait noire le lendemain matin. Il ne fallait pas exagérer.

*

En somme (faux-bilan), la vie se présentait bien, plutôt bien.

J'avais eu une bonne chance liminaire et je pouvais me frotter les mains d'avoir eu une gestation exceptionnellement tranquille dans les entrailles exubérantes de ma mère et d'en être sorti vivant, entre deux anges rouges et gélatineux, pas plus grands que la main, qui s'envolaient périodiquement, à tire-d'aile.

— Qu'en ferons-nous ?

— Gardons-le ! dit mon père qui coutumièrement décrétait : « À l'égout ! »

C'est la bonne chance et le faux bilan.

Les soirs d'hiver, ils se couchaient trop tôt, et pour passer le temps et parce qu'ils n'avaient pas sommeil, ils faisaient des cochonneries.

Et les soirs orageux, parce qu'ils étaient énervés.

Ensuite, ils s'érigeaient en tribunal impitoyable.

« À l'égout ! »

*

Le samedi soir, nous ne manquions jamais le café-concert. Le troupier, la divette, le fin diseur passaient sous un feuillage raide d'arbres de printemps après s'être mis, pour détailler le couplet, au pied de l'escalier de pierre, du plus bel effet décoratif et tremblant parce que peint sur la toile de fond.

Suivant que l'on parlait à son âme ou à ses organes génitaux, le public mâchait tristement des fleurs bleues, l'œil humide, ou frottait furieusement, sur la banquette trop dure, son gros derrière comme s'il eût été dévoré par les petits vers — à cette époque de ma vie, le mien en était plein.

Les dames sensibles se laissaient aller à des incontinences d'urine dans les linges. Le rire aux larmes.

« Olala ! »

On redemandait des bocks tièdes.

À la longue, nos émotions devenaient malodorantes. L'atmosphère se chargeait de senteurs ; fortes entre toutes étaient celles des mégots écrasés, des aisselles et des entre-jambes. De plus, nous ne changions la chemise hebdomadaire que le dimanche matin, le lendemain.

Ce spectacle finissait bien par le type livide à lavallière noire qui, les poings serrés et le talon vengeur, nous traitait de « ventres-creux » et de « parias ». Nous exigions son grand succès : « Peuple des faubourgs, debout ! » et, là-dessus, partions contents.

J'ai constitué, peu à peu, un répertoire sans bergères ni petits moutons. J'aimais « La grosse Mélie du faubourg Saint-Martin », une chanson vécue et

« Maria, la terreur des Batignolles », vécue aussi, mais amère...

Elle connut pas son père
Et quand mourut sa mère,
Elle resta seule sur la terre
Sans gîte et sans pain.
Dès sa plus tendre enfance,
Elle connut la souffrance,
Pour gagner son existence
Elle se fit catin.

Ça continuait... « en vendant le bonheur, elle sème le malheur »... c'était prenant jusqu'à la fin.

Et ron, et ron, petit patapon.

Les dimanches des étés, mon père mettait son chapeau de paille. Et il ornait le col de sa chemise d'un beau bouton, en cuivre luisant, — de ceux que l'on nomme « à bascule ». Ma mère posait sur sa chevelure les mille strass de son jeu de peignes. Elle se chargeait du filet plein de victuailles, de bouteilles : nous allions faire un déjeuner champêtre sur l'herbe jaune et sèche des fortifications qui n'étaient pas éloignées. Après le repas, maman, qui avait déchaussé ses pieds enflés ; papa, qui avait fait sauter les bretelles et déboutonné son pantalon, faisaient une sieste au soleil pendant que je m'ébattais parmi les papiers huileux et les culs de bouteilles et ma joie solitaire.

Mais, à cette vie agréable et réglée, mon père préféra la rigolade. Il se sentait jeune, avait de l'argent de poche et se mit à jouer aux courses, avait des loisirs et se mit à fréquenter les cafés à femmes. En compagnie de voyous de son âge — terreurs, étrangleurs, surineurs —, il fit des fugues répétées et ce fut la fin du petit bonheur.

Mauvais temps !

Ma mère se fichait un fichu de laine sur les épaules et nous partions à la recherche du volage, de marchand de vin en marchand de vin. À notre vue — incarnation réussie de la désolation — il devenait hargneux. Elle le tirait par la manche. Les appels à ses sentiments profonds, la douceur insistante : « Viens donc, mon p'tit homme... » restaient sans effet visible. Il redressait sa courte taille et renâclait de sa voix transformée, craquante.

Le ton du colloque changeait, montait du blanc de la pâleur au rouge du courroux. Elle lui demandait s'il n'avait pas honte de se soûler la gueule pendant que son pauvre gosse crevait de faim.

L'ingénieux chantage.

Moi, le pauvre gosse, j'étais passé ouvertement dans le camp maternel et mes petits yeux se chargeaient de blâme.

Maman savait s'arranger, créer l'ambiance favorable. De l'attroupement qui se formait, près du réverbère, montaient des rumeurs approbatives, ce qui l'engageait à persévérer dans l'anathème véhément, sous la protection des honnêtes gens.

Tout péteux, mon père bafouillait des « ben alors » ou des « mince alors ». Il n'y comprenait plus rien et nous rentrions en cortège.

La revanche se jouait à la maison, entre quatre murs. Ma mère recevait des coups durs dans sa belle figure. Son p'tit homme, raffermi, lui lançait, en faisant cela, des mots orduriers, des mots courts qui, après avoir servi d'insulte, venaient se placer dans ma mémoire.

La chambre était traversée de clameurs.

Calmé ou lassé, mon père sortait. Il s'en allait gueuler dans les rues voisines, tout seul, le feu au ventre. On dit de ces gens qu'ils ont le vin mauvais.

Maman, les chichis défaits et pendants, geignait longuement, ployée contre le bois de lit.

— Ce n'est rien mon petit, disait-elle en tamponnant son visage bouffi et rougi. Elle me souriait et découvrait des gencives saignantes, presque édentées sur le devant.

Tous les jours, dans notre logement, il y eut des disputes, des luttes. La rue suivait l'affaire avec intérêt et les commerçants me considéraient d'un œil compatissant.

J'étais devenu l'enfant-martyr du quartier.

III

Ma mère et sa jeune sœur, sa sœurette Césarine, étaient des fruits d'une union provinciale et bien-pensante. Dans l'armoire à glace, en piles inégales, voisinaient les Rentes françaises et les napperons et couvre-lits brodés. Tout cela, à la mort des vieux, devait être partagé entre les deux filles. Et aussi la maison en meulière, du solide, et son jardinet, où les dimanches, jours des tantes et des oncles, l'on faisait pissoter le jet d'eau.

Sophie, c'est le nom de ma mère, sortit scandaleusement de ce monde, dans la seizième année de son âge, pour s'unir par la main gauche à un quadragénaire anarchiste et tuberculeux dont on comptait les jours. Au trousseau, à la dot, à l'héritage certains elle préférait l'apostolat. C'était l'époque faux seins, faux-culs, chapeaux à fleurs et, dans l'air, traînaient encore les lourds relents du romantisme. Le sacrifice était au goût du jour.

Le malade crachait le sang normalement et se trouvait en fâcheuse posture avec un pied dans la tombe et ne sachant sur quel pied danser, entre la vie et la mort.

Il devenait moribond.

On crut alors qu'il allait lâcher pied.

Mais, contrariant tous les pronostics, il se raccrocha au fil de sa vie dure.

Au lieu de faire le saut dans l'autre monde, il fit des pieds et des mains dans celui qui nous occupe. Il eut même une fine semence tardive qui produisit quelque chose : un enfant pour Sophie.

Et puis, attiré par d'autres horizons et de plus en plus vivant, il partit d'un pied leste pour le Nouveau-Monde, emmenant avec lui la petite Césarine qui avait à peine perdu ses nattes et qui s'ouvrait, à son tour, aux idées nouvelles.

Il était au-dessus des préjugés courants.

À la suite de ces deux abandons, les vieux parents n'eurent qu'à plonger dans la consternation sans fond. Et on les vit se laisser aller à leurs inclinations naturelles : pour elle, la broderie ; pour lui, le jeu de boules.

C'était une brodeuse comme il n'y en a plus. Au métier ou à l'aiguille.

C'était un amateur remarquable.

Il joua tant aux boules — pendant qu'elle, sans retenue, brodait — et se mit tant en nage qu'il eut trop chaud, un soir d'été, et puis trop froid : un chaud et froid qui le tua. Avec le concours gracieux de la fanfare, dont il était, de son vivant, membre d'honneur, on l'enterra au coquet cimetière où il possédait une concession perpétuelle surmontée d'un obélisque qui dépassait, de beaucoup par sa hauteur, les monuments des autres morts.

Les milieux avancés accueillirent ma mère. Elle y eut des succès. On l'appelait « La Belle Sophie ». Pour jouir des bénéfices de la fausse monnaie et des félicités de l'amour libre, il suffisait d'avoir fait sa propre révolution intérieure. Les théories révolutionnaires mil neuf cent avaient du bon.

Les camarades hommes et femmes, purs doctrinaires et terroristes sanguinaires, mêlaient leurs cheveux longs, sous de semblables grands chapeaux, et leurs idées hardies. Les premiers préconisaient un retour à la nature ; les autres la violence au service de la reprise individuelle. Tous se rencontraient sur le terrain sexuel.

Le problème est enveloppé d'épais nuages et mérite que l'on s'y attache jusqu'à des heures tardives, en petit comité.

La Belle Sophie s'y attacha et comptait bien parvenir à cette harmonieuse égalité des sexes, qui est un des points — et pas le plus négligeable — des principes libertaires.

Il fallait coucher beaucoup.

À l'aube d'un sale jour, la police est entrée chez elle pour mettre son sale nez dans ses sales affaires. Ils recherchaient des faux-monnayeurs et ne pouvaient mieux tomber. Ma mère et son ami du moment, un dynamiteur, furent cueillis, au sortir du sommeil, alors qu'ils folâtraient en liquette et sans que l'homme ait eu le temps de tirer les balles du browning qu'il n'oubliait jamais de poser sur la table de nuit, à la portée de la main. C'est avec cette arme enrayée et rouillée, qui effrayait tant les femmes, que les gardiens de la paix lui cassèrent la tête à coups de crosse, au fond du commissariat. On lui cassa vraiment la tête puisqu'il est mort d'une hémorragie cérébrale à l'infirmerie du Dépôt.

Ma mère était saine, forte et rieuse de toutes ses dents qu'elle avait encore. Tout le monde semblait prendre cela gaiement... le flic qui la conduisait, en fiacre, de la prison au Palais de Justice et qui ne savait pas ce qui le retenait de la laisser s'échapper, tant il la trouvait gentille. Et, le juge d'instruction, lui-même, qui en la pelotant un peu, affirmait que tout s'arrangerait...

Pour ces raisons, elle attendit le procès avec confiance.

Le régime de la prévention n'est pas insupportable. On le dit. Les prévenus qui ont des ressources se nourrissent « à la pistole » ; ceux qui ont conservé des amis reçoivent des visites.

Dans un beau mouvement de charité chrétienne, la mère, la brodeuse, vint voir sa fille, l'enfermée. À l'intérieur de la cage obscure, la visiteuse ressentit une grande effervescence intestinale due à la vive émotion. Elle murmura les premiers mots du discours moralisateur et minutieusement préparé :

— Ma pauvre fille, je ne te ferai pas de reproches...

La suite ne passa pas entre les grillages fins. Il y eut un déchirement, un brouhaha de pets et de soupirs. La maman éclatait du derrière.

Le tête-à-tête, en ce parloir empuanti, dura le temps réglementaire : une demi-heure.

— Oh ! Mon Dieu... Mon Dieu..., disait la vieille dame, par instants et au comble, sans doute aucun, de la confusion.

La fille ne disait rien.

Et la mère partit avec sa harangue rentrée et son caca dans ses jupons blancs et nombreux. Pour ne plus jamais revenir.

IV

Derrière les murailles, les journées passaient en file indienne lente.

Après l'éveil, les prisonnières se rendaient ensemble — file indienne — à la fosse, pour y vider les seaux d'eaux sombres où nageaient des crottes de la nuit et, chaque matin, un détenu du quartier des hommes parvenait à glisser une missive amoureuse sous le couvercle du récipient de ma mère.

Idylle partout, quand même et jusqu'au bout.

Sur les papiers, il étalait ses projets, ses espoirs et ses rêves de petit voleur sentimental.

« À la messe, je tousserai pendant l'Élévation », écrivait-il d'un crayon tendre.

Il a toussé longtemps.

Assez drôle.

Ma mère qui avait des lectures et un fond de romanesque idiosyncrasique, descellait quotidiennement les rivets de la porte de sa cellule en ruminant un plan d'évasion.

Bien étudié : le long couloir, l'escalier large (cinquante-deux marches), la cave humide, le soupirail fermé par un rideau de toile d'araignées, la cour sans arbres, le mur bas à cet endroit, la rue et voilà.

« Je le longe le long couloir, tas d'vaches... »

C'était la chanson du Plan.

« ... à pas comptés, je descends l'escalier. Dans la cave humide, je m'engouffre et je suis assez mince pour passer par le soupirail... »

Traversée en courant, la cour ; escaladé, le mur ; aspiré à pleins poumons, l'air des rues.

« Quand j'aurai mon compte de rivets. »

Elle en était au trentième, et il y en avait deux cents, quand sœur Angèle — tas d'vaches — la surprit.

Cette sœur était une vraie saleté. Ma mère avait déjà eu des démêlés avec elle à propos de son corset qu'elle réclamait et que sœur Angèle ne voulait pas lui rendre pour la raison que la Vierge n'en portait pas.

Après un tel esclandre, on ne riait plus. Sophie fut envoyée au pénitencier pour femmes, pour quatre ans.

Ce que j'en sais, je le dirai.

Quatre ans, c'est mille jours approximativement. Et mille nuits. Pas les *Mille et Une Nuits.*

C'était jeudi quand, dans une rue de la ville inconnue, l'orgue de Barbarie moulait une valse de Faust en musique mécanique. Pas autre chose et s'en allait plus loin.

C'était dimanche quand, dans le box individuel, les femmes assistaient à la messe. Ce n'était pas toujours dimanche, c'était parfois l'office des morts.

C'était Pâques quand elles recevaient la moitié d'un œuf dur.

C'était la Pentecôte, au printemps, et la fête du Saint du pays quand arrivaient les odeurs grasses et les beuglements des cochons roses. Et des lueurs rouges sur les murs.

C'était le cœur de l'été quand, sur les toits chauds, les chats faisaient l'amour sur leurs femelles tremblantes comme des femmes. L'amour avec des cris d'amour.

C'était l'heure de la promenade quand la porte s'ouvrait et qu'y apparaissaient le visage de la sœur, muet, jaune encadré de blanc raide, et son corps amplifié, noir avec un crucifix de cuivre ballottant dans les jambes, au bout d'un rosaire. Balade, la tête couverte de la cagoule à deux trous et serrée au cou par un lacet. Une demi-heure, écourtée le plus souvent.

C'était tous les jours...

Les jours perdus à recommencer ce qui fut fait. En mieux, c'est toujours possible. Du lever du soleil à son coucher et sans bien savoir ce que le soleil vient faire là-dedans.

La chaux des murs brûle les yeux et les mange. On marche en fixant les carreaux rouges du sol...

... rouge coquelicot... rouge légion d'honneur... rouge sang... rouge...

(Passe-temps)

On suit la trace d'usure laissée par d'autres pantoufles à semelles de feutre et qui est très visible, de la porte à la lucarne. On compte ses pas dans le sillage incurvé.

On compte les vers trouvés dans la soupe.

On compte tout.

Il arrive qu'on n'arrive pas.

*

Parce que sa conduite fut jugée bonne, ma mère bénéficia d'une réduction de peine de trois mois. Monsieur le directeur la convoqua dans son grand cabinet et lui communiqua la nouvelle avec les précautions d'usage. Les paroles sortaient lentement, par phrases. Il parlait du faux col, car il n'avait pas du tout de menton.

On lui remit ses vêtements de femme, qui lui parurent légers et son pécule de trente et un francs, léger aussi.

Elle se trouva dehors sur la petite place où devait probablement avoir lieu la fête annuelle des cochons roses. Elle marcha dans une avenue vide, une avenue d'automne. D'un mouvement machinal des mains, pour recouvrir son crâne rasé, elle enfonçait sur les oreilles, sans bien y parvenir, sa toque d'astrakan. La toque était enjolivée d'un bouquet de violettes, heureusement artificiel.

Cette préoccupation, qui l'absorba dès la sortie, lui fit oublier la bouffée d'air libre.

En cheminant, elle rencontra une dame qui lui parut drôlement attifée.

« Une Anglaise ? »

Peu après, soudainement, elle rit...

« Hi ! Hi ! Comme tu es bête... la mode a changé, voyons. »

Elle avait pris la manie du soliloque... Hi ! Hi !

Aux « Galeries Parisiennes », elle fit l'emplette d'une poupée de porcelaine souriante pour sa fille qui, depuis son départ, grandissait en un orphelinat. Dans la salle d'attente, elle attendit et accoutra la poupée d'une robe et d'une paire de bas ; objets qu'elle avait tricotés en cachette, avec des déchets. Elle eut l'idée que l'orphelinat pour une fillette ce doit être, à peu près, comme la prison.

Un train vint qu'elle prit.

À son entrée dans le compartiment, un monsieur qui étalait ses cuisses et ses fesses sur la banquette, un gras monsieur, rectifia sa position et resserra les jambes qu'il tenait écartées.

« Il se rendait à l'Exposition universelle. Sa petite affaire marchait bien, mais oui... »

Ma mère avait collé un sourire léger sur sa figure. Les heurts du convoi lui faisaient hocher la tête à contretemps. Les paysages de maisons et d'arbres, ou de rien, s'offraient gentiment, de suite, en vitesse, nombreux. Pour rattraper le temps perdu.

L'espèce d'autre con, le vis-à-vis, s'excitait tout seul.

— Elle est charmante, bavait-il.

Monsieur avait un petit pénis, plus ou moins propre. Monsieur eût voulu s'en servir, là, sur-le-champ, sur le plancher sali par la salive des pipes et avant la visite de l'Exposition universelle.

Elle se berçait :

« Il ne sait pas que je sors du trou. »

La fin roulait sur les rails...

Trou... Trou... Trou... Trou...

V

S'il est vrai, pour moi, que mon père à vingt ans avait déjà derrière lui une sale petite vie et qu'il allait de ville en ville, la casquette de travers en auréole graisseuse ; s'il est vrai encore qu'il était alors clochard, vermineux et en état de désertion ; si je prends pour certains les propos qu'ultérieurement ma mère tint et admets, avec elle, que s'il ne l'avait pas connue, il n'eût jamais chié de grosses crottes et qu'il n'avait même pas un pantalon pour cacher ses fesses ; si tout cela est assuré, il n'en reste pas moins que mon père était un Vertebranche et que de son extraction il avait le droit d'être fier. Les origines de cette famille se perdaient dans la nuit des temps. Que pour un instant il grimpât à l'arbre généalogique et il en redescendait tout titré, doré, chevronné, renté, gradé, décoré.

Et ma mère n'était, après tout, qu'une Toubide.

De la splendeur, hélas passée, l'aïeule restait, très symbolique. Elle assistait en se suçant les lèvres et en se tapotant les genoux à la dégringolade de la famille.

Je ne l'ai vue qu'une fois et l'ai trouvée sévère, grande, raide et sombre dans son fauteuil de bois. Elle portait des mitaines.

Avec ses tout petits yeux, tout noirs, tout ronds, elle fit un regard piquant.

— Ah ! c'est le petit scélérat, dit-elle dans un soupir lointain.

Après ce rapide examen et pour terminer l'entretien, elle ajouta : « Du gibier de potence, comme son père. »

Elle usait d'un vocabulaire démodé. Une Vertebranche. Pendant que je baisais le trou de sa joue, pour la saluer, elle fit prout-prout sous elle... mais ne s'en émut point.

Le vestige prestigieux était dur d'oreilles et indifférent, il me le sembla, à ses émanations propres.

Pète-sec.

En son jeune temps, elle avait été reçue à la cour de l'impératrice Eugénie. Depuis lors, sa nourriture se composait de peaux de poulets, exclusivement. Il lui en fallait six à chaque repas.

La succession s'avérait utopique car la veuve, frottant sans trêve ses genoux décharnés, entamait le nouveau siècle avec appétit. Cependant, de discordes en mésalliances, ses enfants étaient tombés bas. C'est une triste histoire que cette décomposition d'une belle famille et bien française.

En acceptant une condition ancillaire, grand-tante Marguerite ouvrit la porte au malheur. Elle était lasse de tirer le diable par la queue et devint femme de charge chez un chef de gare de la Compagnie du Chemin de Fer du Midi.

Peu après, un Vertebranche (Aurélien) fut condamné à vingt ans de Travaux publics pour avoir lacéré des couvertures militaires. Le Président du Conseil de Guerre le jaugea, qui le traita de « tête de pioche » et conclut comiquement qu'il était tout indiqué pour lui d'aller casser des cailloux à Biribi.

Juste le temps qu'il faut pour boire toute cette honte et Félix, l'instituteur, était révoqué sur ordre du ministre. Il avait, dit-on, les genoux trop accueillants aux petits garçons à qui il faisait, entre autres choses, la classe. Une loge de concierge se trouvait vacante, à Montmartre ; il la postula, l'obtint et, méthodiquement, s'avina.

En commun avec le précédent, Marcellin, mon grand-père avait un fort penchant pour les boissons.

Et aussi Blaise qui s'était engagé dans la Garde municipale.

Mais pas moins que Théo, cocher d'omnibus sur le parcours « Louvre-Lac Saint-Fargeau », qui, lorsque nous empruntions sa voiture, me passait les rênes et me coiffait de son chapeau plat de carton bouilli. Sur l'impériale, en surcroît de ce plaisir, le prix du voyage était plus abordable.

Le coup de grâce fut donné par Thaïs, la jolie cadette, qui, pour noyer son ennui, sombra dans la courtisanerie.

Ils ne bougent plus, ils ont pris dans l'album familial le même air ahuri et jauni.

*

Mon père, à l'âge de trois ans, était orphelin. Sa mère, pendant qu'elle chantait dans les cours avec sa marmaille accrochée à la jupe et déjà engrossée dessous, fut attrapée par une phtisie galopante. Le père Marcellin la suivit de près. Lui, c'est dans une crise de delirium qu'il est parti. Épicier malchanceux et failli, il laissait le moule avec lequel, au hasard des mansardes, il avait fabriqué des pastilles de menthe, jusqu'à la fin. Il laissait en plus, grand-papa, une vérole qui, le plus naturellement du monde, devait plus tard me revenir. Ce n'est pas un reproche.

Les quelques enfants réussis échurent, en charge, à la grand-mère et furent, par elle, confiés aux bons soins de prêtres qui exploitaient, le mot est faible, un vaste domaine agricole, en province. Lorsque mon petit père s'en évada, la vieille dame, excédée, le fit enfermer à la Petite Roquette, qui servait encore de prison pour enfants. Le séjour était de six mois renouvelables. C'est un système d'éducation.

Il fallait verser deux francs par jour à l'administration. Le « misérable » fut libéré quand il eut atteint dix-sept ans. Elle avait fait tout son devoir et il pouvait voler de ses propres ailes. Elle avait toujours fait tout son devoir et put s'éteindre saintement en maudissant sa descendance dégénérée et en léguant sa fortune au vieux curé de la paroisse.

Mon arrière-grand-mère avait vécu une centaine d'années ; le régime était bon.

VI

À la Roquette, au moyen de caresses furtives qui étaient des attouchements malpropres, des relations pédérastiques se nouaient et les p'tits potes juraient de se retrouver à la levée d'écrou.

On en partait, seul, avec un bagage de connaissances utiles et sa liberté, le plus cher des biens.

Le garçon s'était promis un bain de sang à la sortie, après cinq ans de variations sur un même thème rouge.

Chanson du Cou.

« ... Je lui couperai le cou... je lui sectionnerai la gorge... je lui trancherai la tête... je lui taillerai le kiki... »

Et ainsi de suite, avec un couteau affilé de boucher et d'interminables grincements de mâchoires, pour souligner. Car il rendait sa grand-mère responsable de tout, tout, tout.

En face des prisons, des pénitenciers, des maisons centrales ou de correction, ou de redressement et même à la porte des cimetières, on trouve un établissement à enseigne engageante : « On est mieux ici qu'en face ». Ce qui est vrai.

Les résolutions sauvages de mon père butèrent contre le premier zinc et sortirent de lui en même temps que la fumée des cigarettes de tabac bleu, désiré de longue date avec la fougue de l'enfance.

Le tenancier est un conciliateur et le prouve en frappant les dos d'une manière bienveillante.

— Et maintenant, mon gars, ne te fais plus pincer. On est gentil ici.

De semblables souhaits prodigués en de semblables circonstances n'ont jamais entravé la marche normale des affaires du café.

Le libéré partit en se mettant le doigt dans l'œil et en se disant qu'il y avait encore de beaux jours de jeunesse pour sa jeunesse.

*

Une sale petite vie, tout juste ce que ses étroites épaules pouvaient porter, dont il se mit à découper des tranches.

Il alla chez Fradin, aux Halles. Une adresse à retenir.

On passait la nuit pour trois sous et, si l'on ajoutait un sou supplémentaire, on avait droit à un bol de soupe chaude.

Plus on montait, plus ça puait et les premiers arrivants étaient favorisés. Ils s'installaient au rez-de-chaussée pour roupiller sur un coin de table, la tête dans les bras, à la manière des petits au bout d'un dîner que les parents prolongent stupidement en bavardages sur l'ennui.

Quand les trois sous manquaient, on pouvait essayer d'entrer gratuitement, en fraude, mais il fallait avoir du sacré toupet. En côtoyant la caisse de Monsieur Fradin, le truqueur disait : « J'viens d'pisser », avec un droit regard sur ses pieds. Le stratagème consistait à faire admettre qu'on revenait de la pissotière du square des Innocents.

On pouvait aussi bien faire salement ça dans les chambrées, contre un mur ou sous la table. La plupart des clients ne se dérangeaient pas afin d'avoir plus de minutes de chaleur ensommeillée.

Et c'est pourquoi — tout s'explique — ça cocottait tant, aux derniers étages, chez le père Fradin.

Il eut des nuits creuses. Sans gîte et sans pain exactement comme dans la chanson. Il ne fait pas bon se vautrer sur les bancs et l'on marche, sur semelles molles, en somnolant, simple routine. Chemin faisant, on s'essaie à l'attaque nocturne sans courage, contre des pochards attardés que l'on déleste d'un restant de paye en leur faisant sonner le ciboulot sur le pavé parisien.

Il fit des séjours trop brefs à l'hôpital, le temps de s'épouiller, et des séjours trop longs à la Santé (prison).

Il n'eut aucune envie de travailler et s'exprima en vers d'un chantre des gueux estimé :

On prend des habitudes à quinze ans
Et on grandit sans qu'on les perde.
Ainsi moi, j'peux pas travailler,
Ça m'emmerde !

(Quelle joie quand, plus tard, je pus réciter par cœur, sur ses genoux, ce morceau de poésie !)

Il sut que l'issue d'un déjeuner « à la paire » est douteuse et dépend uniquement de l'humeur du restaurateur. C'est, en tout cas, la fin de la faim pour l'homme qui avale en bouchées doubles des plats pas chers et substantiels, autant que faire se peut : un de viande, un de légumes et un fromage qu'il accepte quoiqu'un peu avancé. Pour terminer sa grivèlerie, il prend un air bravache et dit : « Maintenant, allez chercher les agents ! » C'est très simple. En devenant plus falot, quand cela est encore faisable, et avec une envie profonde de rendre le repas.

Dans la restauration, et il en va de même dans la limonade, les occasions de se divertir un brin sont exceptionnelles. Généralement, le propriétaire en veut un brin.

— Les agents ! Les agents ! Non, mais sans blague !

Il préfère se payer sur la pauvre bête.

— T'as bien bouffé, mon salaud... et à l'œil.

Et le type se raccourcit les bras sur l'autre type, qui protège son nez et ses yeux.

Les habitués se bidonnent, se bidonnent, qui ont leur serviette dans le casier numéroté, en écoutant la suite de l'entretien.

— Monsieur ne désire pas un dessert ? Et le café ? Et le pousse-café ?

Le comble est mis aux rires...

— Monsieur acceptera bien mon pied au cul ?

Pourquoi pas ? Dans un mouvement de danse, le monsieur s'envole au travers de la porte ouverte à deux battants et va s'asseoir sur la chaussée où il reste un instant pensif. Puis, remis de la surprise, il se coiffe de la casquette qui a suivi et s'en va, sans insister, sur deux pattes.

Il a bien bouffé.

VII

Chez nous, les explications continuaient et n'étonnaient plus personne. Le passé ne passait pas. En outre, la présence de ma sœur, la fille du poitrinaire, n'était pas étrangère à ces troubles. Elle se nommait Louise, cette jeune personne blonde et maigrelette de dix-sept ans et qui avait de larges taches de rousseur sur le nez et un petit chignon recouvrant chaque oreille. Une révoltée, une en-dehors elle aussi.

Elle n'était pas souriante. Une sainte nitouche, pensai-je.

J'eus toutes les maladies que l'on dit être nécessaires à la croissance et qui font l'orgueil d'une mère. Le sien a eu la coqueluche et la scarlatine, la rougeole et la jaunisse, la varicelle et les oreillons, un commencement de méningite...

Par-dessus ce marché, j'ai eu une orchite, tout comme un grand, à la suite d'une chute sur mes petites boules qui se mirent à grossir énormément et gardèrent, par la suite, une allure bien laide.

Dans le cours de ma sixième année, l'ostéite se

déclara en suppurant. C'était, dans mes os, la manifestation de la syphilis ancestrale. Avec cela, j'étais servi pour la vie. De l'hôpital, où je fus opéré, on dut, sans tarder, m'envoyer dans l'air de la mer. Dans le Sud. Afin de faire face aux dépenses élevées de la pension, ma mère entreprit un périple européen pour le placement de la production. Les boutiquiers de Paris devaient être saturés de la monnaie qu'elle battait.

*

Le chalet de bois jaune, contre la dune jaune pareillement, abritait une trentaine de gosses maladifs.

Ce fut, au village de pêche, après les petites histoires de Paris, un grand lavage pour les yeux avec la beauté du ciel et pour la bouche avec le sable craquant sous les dents écartées et pour les oreilles avec la chanson du vent.

À travers les pins droits, qui s'élançaient vers le ciel de juillet, s'étendait toute la côte des rochers bleus, moussus par endroits, jusqu'à la citadelle où, minuscule près de sa guérite de pierre, un pioupiou en sentinelle, l'arme au pied, laissait passer par-dessus son képi les nuages gris ourlés de rose qui, en bandes, quittaient la terre pour s'en aller sur l'eau. Les vagues montaient, tombaient en chutes lentes dans ce champ fou, immense et en colère pour rien. Elle n'arrivait pas la mer, la verte, la profonde, à régler sa vieille histoire avec la côte.

Dans tout cela quand la terre apparaissait, c'était comme une tache sanglante.

Soirs : une grosse lune montait très vite pour faire une clarté rousse. Signal. Et, toutes ensemble, les barques rentraient l'avant retroussé et les focs triangulaires d'ocre pâli pointés vers le phare massif du cap. Les grand'voiles tremblaient et s'abattaient. Les hommes sautaient alors dans les courtes vagues du bord et couraient, le pantalon roulé au-dessus du genou. Ils s'arquaient sur une corde et, à la queue-leu-leu, tiraient leurs bateaux... Ho !... Hisse !... sur la plage.

*

Madame la directrice montrait un vif intérêt pour les catalogues de la Belle-Jardinière, qui lui apportaient les dernières créations de la mode de la capitale. Ce magasin lui fournissait ses corsages clairs et ses chapeaux osés. Elle n'en oubliait pas, pour cela, ses obligations tutélaires et jugea bon de s'occuper de mon salut éternel, jusqu'alors négligé.

Pour sûr, Henri est mon nom de baptême. J'ai été baptisé, comme tous les enfants, parce que la mère prétend qu'on ne sait jamais ce qui peut arriver, pendant que le père, ennemi des curés qu'il appelle les corbeaux, ronchonne sans conviction.

En personne, Madame se chargea de m'inculquer les rudiments de la religion.

Là-haut : l'œil de Dieu. En bas : le feu dévorant.

Je devins promptement un catholique zélé, pliant sous l'ire céleste ; bardé de scapulaires ; les yeux retournés, en dedans, sur mon âme ; les poches pleines de chapelets, d'images saintes et la tête de conflits intimes.

Tous les soirs, dans la lumière de la veilleuse à huile, j'accomplissais mes rites. Je faisais pipi dans le pot de chambre qu'ensuite je poussais loin, près du mur, et après, tout nu sous ma chemise de nuit de pilou bleu rayé, agenouillé sur la carpette à ramages, je plaçais mon front dans la barbe de Dieu le Père. Mains jointes, je lui envoyais de drôles de prières avec le petit spasme du croyant sérieux...

« Faites, ô mon Dieu, que papa et maman vivent longtemps et n'aillent jamais en prison à cause de la fausse monnaie... »

Il a dû m'entendre.

Durant les mois de l'été, quelques « grands » venaient séjourner parmi nous. Ces jeunes hommes boutonneux nous tyrannisaient et nous forçaient à prendre part à leurs jeux compliqués, alors que nous avions les nôtres, bien plus intéressants. Le jeu de la carotte, par exemple, ou celui de colin-maillard, ou tout simplement le jeu de pigeon-vole...

Et la nuit, ils venaient, ces grands cochons, pans de chemises relevés, s'onaniser au beau milieu de notre chambre d'innocents et nous empêchaient de dormir, ce que nous aimions faire. Mais, nous étions tout de même épatés de voir les grandes verges des grands cochons.

En hiver, on était tranquilles. L'après-midi, nous nous réunissions dans la salle de jeux. Nous formions un cercle autour de la petite Germaine. Les valides se mettaient à croupetons et les allongés, dans le plâtre jusqu'au cou, demandaient à être approchés. Une fois tout le monde installé, Germaine se débarrassait de sa culotte festonnée, s'asseyait dessus et, toutes petites cuisses ouvertes, enfonçait ses doigts dans son oiseau.

Nous ouvrions de grands yeux et l'œil. La surveillante fermait les siens. C'était une bonne pension, on n'y aimait pas les histoires.

On touchait. Moi, j'avais fait cette double remarque que ça sentait mauvais et que c'était gluant entre ses jambes, à la petite Germaine.

Jusqu'au coup de cloche qui annonçait le dîner, nous nous montrions mutuellement nos petites boutiques et nous égayions en tripotages et intromissions impossibles.

Pragmatique, avant le sommeil, je me punissais tout seul.

*

Pendant trois ans, je reçus des cartes postales de tous pays et j'y répondis par des millions de baisers en pattes de mouches.

À la fin, les mensualités ne parvinrent plus régulièrement.

Et plus du tout.

Je fus chargé de l'épluchage des légumes et des commissions.

Le lourd panier au bras, je rôdais autour de la petite gare, en reniflant mes larmes.

*

Je la revis ma mère, et le « Tortillard », chemin de fer d'intérêt local, qui l'amena, un matin, nous emmena, le soir, réjouis et côte à côte, à Paris.

J'appris dans ce train que mon père, qui était une belle vache, s'était mis en ménage avec Louise, ma demi-sœur, et que je n'avais plus de père.

Cette nouvelle, sur le moment, me toucha peu.

J'écrasais mon nez sur la vitre ; maman faisait les grands yeux et m'ordonnait de cesser le jeu ; j'obéissais à moitié ; le p'tit train allait dans sa voix étroite, entre les lacets du télégraphe, sous sa fumée ; j'étais bien aise ; aux courbes apparaissait le mouchoir rouge du cou du machiniste ; j'avais le bout du nez noir ; des vaches, des hommes levaient la tête de leur travail ; le train sifflait, soufflait... ; je recevais un dernier avertissement.

VIII

ORDRE FORMEL DU PROPRIÉTAIRE.

« Défense de laisser les enfants jouer dans les cours. Défense de mettre des oiseaux et des fleurs aux fenêtres. Défense de laisser circuler les chiens librement. Défense de laver le linge aux fontaines. *Sous peine de congé immédiat.* »

Chaque bâtiment de la Cour de la Grâce de Dieu — je trouve l'appellation amusante — avait son panneau mural. Maman habitait une chambre du sixième étage, le dernier. Escalier K.

Nous étions là des centaines entassés, grands et petits, dans nos puanteurs et sans fleurs, avec nos tares et sans oiseaux.

Dans les couloirs mi-obscurs la senteur lourde de la merde était partout, et celle — plus insinuante — aigrelette de l'urine. Le dégoût s'étalait sur les murs... Merde... Merde... en grandes lettres ou en arabesques, et surtout aux chiottes, écrit du bout du doigt... Merde... Merde...

C'est vrai, on en était pleins jusqu'à la gorge. Un enlisement et un étouffement lents.

L'entrée de la cour était barrée par le regard oblique et raide du concierge : un vieillard assis qui avait une voix couverte, étrange, lointaine. Dans ce concierge, c'était un va-et-vient glaireux et il n'avait qu'à secouer son ventre replié sur ses cuisses pour qu'aussitôt les glaviots lui montassent aux lèvres. Il les mâchonnait longtemps, avant de les cracher par le vasistas.

Devant la porte cochère stationnaient, en permanence, l'ambulance de l'hôpital et le corbillard du cimetière ; pour ceux qui en avaient assez de pomper l'eau qui était dans le gaz, depuis l'invention du gaz d'éclairage et bien avant qu'il fût inventé.

Nous, les gosses, assistions, abrutis, aux soûleries de soirs de paie suivies d'assommades et de chutes dans les bruits de vaisselle brisée, aux accouplements sur les lits de fer criard. Nous vivions sur la défensive, toujours prêts à parer des coups, et avions des jeux attristants.

Notre carré était terrorisé par le grand terrassier. Quand il rentrait, le soir, plein de vin rouge, nous poussions le verrou car les différends du ménage se réglaient à coups de pied dans le ventre, sur le palier. Il la traînait par les cheveux sa femme grosse-molle, la mère Marchand, et lui cognait la tête contre les murs peu épais.

Ça résonnait. Les cinq enfants morveux couraient, en ronde, dans la turne et hurlaient avec la mère jusqu'au moment où l'homme tombait près de sa vomissure violacée pour s'endormir en toute innocence retrouvée.

À la fin des fins, pour le repos de tout le monde, il l'a jetée par la fenêtre, sa femme, et puis il s'est pendu dans la cage de l'escalier, au moyen de sa longue ceinture rouge.

La chambre du terrassier ne resta pas longtemps inoccupée. Nous eûmes un nouveau voisin. Un petit vieux bureaucrate bien tranquille. Trop tranquille, disaient les locataires, il devait mijoter quelque chose. Effectivement, peu après son emménagement, il se lançait à son tour dans le vide de la croisée. Mais lui, il est resté accroché par la peau du ventre à un crampon en saillie. Les pompiers sont venus pour le dépendre, avec la grande échelle. Il en avait du sang, celui-là, sur le plâtre gris de la façade cela faisait une traînée brunâtre qui allait en s'amincissant, du sixième au quatrième.

Ma mère avait une nouvelle occupation.

Ma mère disait la bonne aventure aux boniches.

Ma mère ne faisait plus de pièces en plomb.

Ma mère ne faisait plus toutes ses erreurs de jeunesse.

Avec une mine inspirée, elle étalait les cartes sur le tapis de table. D'abord, « Les Vingt-Quatre Heures », puis « L'Étoile du Bonheur », pour terminer « La Réussite ».

« Posez une question mentalement et pensez fortement », disait ma mère à la Bretonne émue.

Les cartes répondaient. Oui ou non. Les tarots égyptiens, c'était trois francs de plus. Le Grand Jeu.

Les trois francs étant promis, l'oracle parlait ainsi :

« ... Je vois, près de vous, un homme d'un certain âge, grisonnant. Un homme haut placé. Il vous veut du bien... (la boniche se tortillait sur sa chaise)... il a pour vous du sentiment. Il vous fera un petit cadeau... »

La cliente n'y tenait plus : « C'est Monsieur, je m'en doutais ! » L'augure poursuivait dans l'impassibilité :

« ... Un, deux, trois... Oh ! ma pauvre, vous avez les trois sept ! »

Il fallait expliquer à la pauvre, qui ne le savait pas, que les trois sept c'est la grossesse, immanquablement.

Quelques semaines plus tard, nous allions nuitamment dans un septième d'une belle maison d'Auteuil ou de Passy.

« Monsieur » avait fait son petit cadeau.

Nous montions des escaliers de service mal éclairés et tordus. Il ne fallait pas inspirer de méfiance au portier soupçonneux et ma présence n'était pas inutile.

Je me plaçais dans un coin de la mansarde et ne demandais rien. Maman m'avait, une fois pour toutes, dit : « Ce sont des dames qui ont mal au ventre. »

Je n'étais pas tout yeux pour les cartes postales, piquetées de chiures de mouches, épinglées sur le papier peint : une locomotive qui apportait, en soufflant, un baiser du pays natal ; un couple endimanché et enlacé qui se promettait l'amour éternel avec une belle moustache, une canne et un éventail.

Des cris longs entraient dans mes oreilles dressées pendant que maman mettait la main à la pâte de la chair rouge des ventres et la douleur était aussi dans son ventre.

Après plusieurs visites, un soir, ma mère emportait, sous son bras, un paquet oblong. Elle paraissait inquiète, se retournait souvent et serrait fort ma main. Nous avancions sous les becs de gaz, de flaque en flaque. Je traînassais, alors maman me gourmandait :

— Vas-tu marcher, petite charogne ?

Elle avait les nerfs en pelote.

Arrivés aux fortifications, où nous n'allions plus festoyer, elle me disait : « Grimpons ! » et, en haut, du bout pointu de sa bottine, poussait le ballot mou qui roulait sur le glacis jusqu'aux autres ordures du fossé.

Nous marchions dans les rues du retour à la Cour de la Grâce de Dieu. Je savais que le lendemain nous irions au mont-de-piété pour dégager les objets utiles qui s'y trouvaient et chez le concierge cracheur pour y retirer des quittances en souffrance. Je savais aussi qu'il me faudrait choisir, parce que j'avais été bien gentil, un jouet à l'étalage du bazar poudreux qu'un bonhomme en blouse grise ne finissait pas d'épousseter à l'aide d'une espèce de martinet.

La vie était difficile ; nous ne décrochions un avortement que par-ci, par-là. Il y avait des jours sans charbon pour le poêle, un cœur à trois pattes.

Des vieux messieurs qui avaient des breloques venaient chez nous à jours fixes. Ils me tapotaient les joues en faisant de sales grimaces.

— Nous avons à parler, me disait ma mère.

Pas des conversations pour enfant. Je m'absentais une heure ou deux.

Les voisins obligeants ne manquaient pas, qui se faisaient du plaisir à me garder et à me questionner adroitement, avec du sucre.

— Qu'est-ce qu'elle fait ta maman ?

J'ai bien des fois tout raconté avec ma mauvaise langue bien pendue.

De temps à autre, mais sans excès, nous faisions un petit sinistre au centre de la pièce, sur le carreau. Nous mettions le feu à des vêtements défraîchis que la compagnie d'assurances nous remboursait. J'ai dit que la vie était difficile.

Les coupons de soie pour les blouses, les dentelles pour les jabots et autres frivolités et fanfreluches, nous les trouvions dans les grands magasins. Maman était coquette. Elle saisissait l'objet de son désir et le laissait tomber à mes pieds ; je n'avais qu'à me baisser pour l'enfouir dans une des poches profondes du caban sombre qui me battait les talons.

Mon éducation se poursuivait. J'étais un petit garçon très raisonnable. De plus en plus. Un petit homme, déclarait maman. Je l'adorais, ma mère, et cela ne troublait pas mes sentiments qu'elle fît bruyamment caca, assise sur notre seau de fer dans un recoin de la chambre. J'avais grand besoin d'une sainte.

J'allais à l'école communale. Pendant la récréation, je me réfugiais dans la bande à part des faiblards larmoyants et le plus loin possible des divertissements des bien portants, petits saligauds, faiseurs de plaies, déchirures et bosses.

Coups de poing, coups de pied, crocs-en-jambe.

Saligauds en herbe.

Coups défendus.

Herbe à saligauds.

En fin de semaine, la croix d'honneur étincelait sur mon tablier noir.

Les bonnes heures, je les vivais dans la pénombre d'un grenier, sous le toit. Enveloppé dans mon caban, mes cheveux noirs couverts d'un chapeau de femme, un feutre gris à larges ailes, je m'asseyais contre une poutre, dans la poussière de ce réduit sans air où, divers et hors d'usage, s'entassaient des ustensiles.

En ces instants secrets, j'avais une vie toute plate, contre la terre. Je recommençais tout dans un paysage de jouets d'enfants, en carton. Mes belles histoires, je les faisais moi-même. Maman n'avait pas le temps.

IX

Monsieur Antoine, un Belge grand et roux, occupait la chambre du terrassier, et les bruits de sa vie traversaient la cloison mince.

— Écoute, ordonnait ma mère en suspendant ses travaux ménagers, il rentre.

Elle reprenait ses affaires et continuait le monologue...

— Il se fait sauter deux œufs sur sa lampe à alcool... Il lit son journal... Il se couche...

Elle ne disait pas qu'il ronflait insupportablement.

L'activité matinale du voisin éveillait, chez nous, un égal intérêt.

— Il se lève, se lave...

Quand il urinait, de toute sa hauteur, dans le seau hygiénique, elle toussait. Quand il crachait difficilement sa pituite, elle disait, pitoyable : « Le pauvre diable ! »

Avant de s'en aller faire l'employé aux écritures, le rouquin chantait la rengaine du jour qui était « Je meurs d'amour pour toi ! » et que nous trouvions lourde de signification et, qui laissait ma mère alanguie.

À quarante ans, elle avait faim de vie. De potelée, elle devenait pansue. Il n'y avait plus de temps à perdre. Quarante années pesantes. Des années qui tombent, par jours, lourdement sur la gueule et qui abîment.

Barda d'ans.

Et ce n'était pas fini.

Monsieur Antoine s'établit peu à peu chez nous et il eut, bientôt, sur notre table de toilette un coin pour sa brosse à dents, son peigne, son savon. Un jour, il apporta une valise et, définitivement, demeura.

Il avait, au surplus, amené avec lui une mauvaise odeur de pieds.

On l'avait surnommé « Médème », car il était toujours très comme il faut, Monsieur Antoine, et correct malgré ses ivresses, profondes et rentrées. Il devait boire vite et rudement. Dans l'escalier, dans les couloirs il saluait du chapeau, poliment : « Bonjour Monsieur... Bonjour Médème... » L'accent bruxellois dont j'ai parlé.

Il marchait voûté avec les regards à droite, à gauche de l'homme qui est perdu ou qui a perdu quelque chose. La Verte lui dévorait l'intérieur. Encore un qui n'arrivait pas à digérer la merde de tous les jours et c'est ce qui lui donnait cet air écrasé. Il était des nôtres.

Après quelques semaines de jours en commun, ma mère ne l'évoquait plus, devant moi, qu'en termes impétueux... « cette espèce de grand dégueulasse ». Et pourtant, elle m'avait auparavant prié de l'appeler « Papa Antoine ».

J'assistai à des disputes hargneuses, comme à Grenelle, avec des mots connus ; l'accent bruxellois en plus.

Le Belge était joueur.

Le dîner terminé, il veillait penché sur un *Paris-Sport*, en caressant, sous son nez, sa grosse moustache rouge qui grésillait, sans qu'il s'en aperçût, au feu d'un tout petit mégot.

Il fabriquait son avenir jour après jour.

Pendant ce temps, ma mère me couchait ; elle m'enlaçait et posait des baisers sur ma figure.

— Dors vite !

C'était un moment chaud.

Elle s'éloignait de moi et ôtait, à son tour, ses vêtements. En chemise, elle cherchait les puces, par transparence. Sans peine, elle les attrapait et les écrabouillait entre deux ongles. Plus tard, sur le lit, à quatre pattes, elle chassait les punaises ; pour ce faire elle crachait dans de petits bouts de journaux, afin de ne pas tacher les draps car elle aimait la propreté. Tous les soirs et avec les mêmes remarques.

Lorsqu'il avait confectionné, sur un papier, le « papier » qu'il se proposait de remettre le lendemain au book, Médème soufflait dans le verre de lampe et allait rejoindre ma mère qui l'attendait pour les colloques haletants. J'écoutais les mots et le tapage des grands coïts de ma mère et de Monsieur Antoine.

*

Le jour anniversaire de la prise de la Bastille est aussi celui de ma naissance. Le 14 juillet 1914, j'avais douze ans. Il m'en souvient parce que j'ai dansé toute la nuit avec ma mère autour du kiosque, drapé de pourpre et décoré de lampions, que l'on avait érigé au bout de notre rue, sur la place.

Vers la fin de ce mois, les hommes sortant de leurs maisons, se groupaient dans les rues pour crier : « À bas la guerre ! »

Les flics tapaient dedans. C'étaient des manifestants ; les mêmes qui, dans les temps qui suivirent, allaient pourrir la gueule ouverte, trente-deux dents au soleil d'une campagne inconnue, avec des tripes sanguinolentes entre les jambes. « La mobilisation, lisions-nous sur les affiches blanches, n'est pas la guerre. »

Médème, nullement excité, jugea prudent de passer en Belgique, pays neutre. Nous le suivîmes dans un village des Flandres où il avait une nombreuse famille. L'accueil que nous fit sa tante Adèle fut fort aimable ; il y avait chez elle du travail pour tout le monde. Cette personne d'âge douteux et corpulente tenait l'estaminet « À la rose », plus communément dénommé par les flandrins du lieu « la cage à putains », si je traduis bien. « Tante » étouffait sous ses énormes fesses toutes les médisances.

— Je m'asseois dessus, déclarait-elle dans un parler qui rappelait sa jeunesse turbulente.

Les petites « nièces » qu'elle hébergeait faisaient l'atmosphère familiale et enjouée. D'ailleurs, en plus de sa conscience tranquille — et, en vrai, il n'y a que ça qui compte — elle avait pour elle la bénédiction hebdomadaire de M. le Curé et la protection efficace du garde champêtre. Toutes deux, il faut le reconnaître, peu ou prou intéressées et plutôt prou.

Une semaine environ après notre arrivée, deux gendarmes sont venus chercher Monsieur Antoine, qui n'était pas tout à fait en règle avec les autorités militaires de son pays.

Il a dit simplement : « Pas d'vâne ! »

On lui a donné un uniforme à brandebourgs et à boutons dorés, un bonnet à poils, un cheval et il est parti pour la guerre, la lance au poing, jambes pendantes, au milieu des autres antoines. Il n'avait pas le feu sacré.

L'estaminet était bien situé — je parle commercialement — au bord du fleuve, près du pont de bateaux à l'entrée duquel on avait déployé un large calicot :

« Honneur aux braves ! » Ils passaient dessous, multicolores et reluisants, les grenadiers, les lanciers, les carabiniers, les guides, les artilleurs, en direction de la frontière menacée.

Nous tendions, ils prenaient, des cornets de tabac, des tartines minces, des verres d'eau fraîche, ces vaillants qui allaient — grandes phrases retrouvées — écrire de leur sang généreux une nouvelle, immortelle et longue page d'histoire.

X

Liège, Namur, Anvers : places fortes et im-pre-nables !

Les jours, légèrement, s'envolaient. Les drapeaux claquaient au vent — les hommes claquaient aussi — les fanfares sonnaient, la pâte à crêpes coulait des seaux trop pleins, la pompe à bière, sans arrêt, grinçait.

Une kermesse peu ordinaire.

Les femmes donnaient du ventre, dans un rythme glorieux, et les vieux, ravivés, du gosier. Moi-même, pauvre petit imbécile, je tenais ma partie dans ce chœur héroïque. Aussi souvent que je le pouvais, raide dans ma culotte, j'embouchais le clairon de Déroulède...

« L'air est pur, la route est large... »

Les sous tombaient.

Non, on n'avait jamais tant rigolé. Il y avait des prisonniers à écharper. Il y avait même déjà des soldats qui revenaient des champs de bataille lointains, assez haves et enveloppés de pansements rougis.

Une réjouissance continue.

Ma mère servait la clientèle, derrière le comptoir. Je

m'occupais en menus travaux ; je perçais les tonneaux, à la cave ; je remontais le piano mécanique ; je semais de la cire sous les pas des valseurs.

À la Rose, et ailleurs, le commerce était florissant. On baisait dans la cuisine, on vomissait dans la courette et la tante aux grosses fesses planait sur tout cela.

Elle disait, attendrie : « Ces pauvres enfants ont bien raison d'en profiter, Dieu sait quand ils auront l'occasion de s'amuser encore. »

La caisse était négligée, ce qui permettait à maman de prélever son tribut journalier sur la recette.

De la fenêtre du premier étage, où elle passait ses heures, la patronne encourageait les soldats qui marchaient.

— En avant ! vociférait-elle.

Sa croupe tressaillait sous le tissu noir et tendu de la jupe. Elle répandait sa salive, elle avait le délire épique, elle n'était plus terrestre.

— Crevez-les !

Elle aurait su s'en servir d'une arme blanche.

*

Les communiqués, inlassables, volaient de victoire en victoire, mais il devenait apparent que nos petits soldats commençaient à battre sérieusement en retraite. Le défilé était maintenant à rebours et sans guirlandes.

Liége et Namur, ces places fortes, avaient été prises. Des croquants conduisant de grandes processions de charrettes de meubles, s'enfuyaient vers l'ouest. Ils laissaient des histoires compliquées de mains d'enfants mutilés, coupées ; de seins de vierges violées, coupés aussi. La canonnade s'entendait et l'ardeur des civils tiédissait. « Tante », qui gueulait beaucoup moins fort, avait pris un air pincé et commençait à empaqueter.

Aux approches de minuit, des obus tombèrent sur le village et quelques maisons basses se mirent aussitôt à flamber. Le pont sauta en mille morceaux, en l'air. Le calicot resta qui disait encore : « Honneur aux braves ! » Nous sommes partis, en débandade et sans but, dans la soirée d'octobre qui posait une mince couche de froid sur les épaules.

Troupiers, cavaliers et civils allaient vite, fuyards mêlés et muets, sous le bombardement. Les projectiles explosaient près de nous dans les polders vides, après avoir sifflé et rayé le ciel.

La guerre.

Les pages d'histoire immortelle, on aime bien les lire, mais les écrire et avec son propre sang c'est, tout de même, un peu différent. Et, dans ces conditions, plutôt la paix sans histoire. C'était là l'opinion générale.

Les Allemands étaient à nos trousses. On signalait, à tout instant, des patrouilles de uhlans et de hussards de la mort ; les plus effrayants, ceux qui, par pur divertissement, coupent les mains des petits garçons. Une estafette pâlie et boueuse avait annoncé que la route d'Ostende était coupée. Ils coupaient tout !

La frontière hollandaise était, Dieu merci, proche. Nous y sommes arrivés après une nuit et un jour de marche. En même temps que nous s'y engouffraient des régiments entiers pressés de déposer les armes et insensibles, nous parut-il, aux charmes de la guerre en campagne.

Dans cette fuite, nous avons perdu la tante Adèle. Je la vis, pour la dernière fois, sur une place de l'église parsemée de croix noires de tombes de paysans. Le soleil se levait en rutilant. Et je la vois encore, piétinant dans le tragique, entourée de ses quatre nièces et prophétisant :

— Il y aura du sang, des flots de sang !

Un malheur ne vient jamais seul : ma mère a égaré ses tarots égyptiens auxquels elle tenait tant.

Avec d'autres réfugiés, nous avons trouvé asile chez un sabotier qui nous a offert son étable. Il y avait, dans la cour, d'énormes tas de copeaux où j'aimais me coucher. De là, j'assistais à l'interminable entrée en Hollande des derniers défenseurs d'Anvers.

Les supérieurs faisaient du chromo pour la postérité en brisant leurs épées. Les soldats simples se séparaient plus facilement de leurs fusils qu'ils jetaient en tas de chaque côté de la route.

Le village-frontière s'était couché sur les deux pays. Des officiers, qui ont, au dernier moment, changé d'avis, sont restés dans la partie belge en parlant de combattre jusqu'à la mort, un contre mille.

*

Après quelques semaines tout le monde rentrait en Belgique. Nous avons repris la même route plate. Ma mère trimbalait notre valise et moi, sur le dos, j'avais un léger baluchon. Le fort vent de l'hiver soufflait déjà et faisait s'incliner, tous ensemble, les peupliers longs.

Les premiers casques à pointe que nous rencontrâmes étaient deux marins à béret qui avaient des poils sur leurs poitrines nues.

Ma mère me secoua un peu : « N'aie pas peur ! »

L'un des deux me fit un sourire en rictus satanique, auquel je répondis de mon mieux, cachant mes mains.

Nous avons retrouvé le village du bord de l'eau. Sous la botte de l'envahisseur, les habitants avaient décroché leurs petits drapeaux des fenêtres, pour se les planter dans le cœur. Le premier émoi passé, les choses s'étaient très bien arrangées. Les vieux de la « Landsturm » s'envoyaient les veuves éplorées et les épouses des héros qui faisaient leur devoir sur le lambeau de terre sacrée. Le pain était rare.

« Tante » nous avait précédés. Elle émergeait, hilare, du comptoir de faux acajou et dirigeait l'empressement des nièces, qui n'étaient plus que trois.

Elles s'appelaient : Mieke, Tineke et Anneke.

La Rose, pleine de militaires s'entretenant dans leur langue inconnue, s'épanouissait.

Le commerce a de ces dures nécessités.

XI

Le cynisme de cette personne nous écœurait.

— Elle m'écœure, disait ma mère.

— Elle m'écœure, disais-je.

Au vieux qui nous transportait, bénévolement, dans sa carriole d'Anvers à Bruxelles, nous exposâmes les dévergondages passés et l'inconséquence actuelle de « Tante ».

— Elle m'écœure, dit-il.

*

C'est avec des difficultés que ma maman trouva un emploi dans un grand hôtel de Bruxelles. Elle était nourrie et couchée ; elle dut se résoudre à me mettre en pension. Les derniers sous de la Rose servirent à constituer le trousseau que l'institution, aux termes du règlement, exigeait.

L'établissement, peu distant de la ville, était modeste et d'apparence modeste.

Monsieur Tocsin, l'unique professeur, était un ténor léger. Il devait faire trois classes et s'il avait pris sa fonction au sérieux — il ne le faisait pas — il eût été, sous elle, écrasé. Ce Wallon à grosse tête rigoleuse poursuivait des ambitions artistiques. Le théâtre l'attirait.

Durant les heures de cours, il travaillait son organe vocal tandis que nous étions dans les aventures en fascicules de *Zigomar peau d'anguille* et du *Vautour de la Sierra.*

En sourdine d'abord et, insensiblement, la voix du maître grossissait. L'étude se terminait par une chanson leste interprétée du haut de l'estrade, devant le tableau noir, avec gestes, pour appuyer sur les passages importants.

Ce n'est pas tout, Toc-Toc nous contait des histoires, le plus souvent anticléricales. Son fonds était réellement inépuisable.

Le directeur, retenu par d'autres soucis, se contentait de signer nos cahiers en fin de semaine.

Mes dimanches, je les passais à l'hôtel où ma mère était affectée à l'entretien des lavabos et des w.-c. Le personnel l'appelait Madame Caca ; sans intention injurieuse, c'est le titre de la charge.

Le « lavatory » était un local, au sous-sol, spacieux et illuminé ; ses petits carreaux de faïence blanche, qui recouvraient les murs et scintillaient, me rappelaient les stations du métro de Paris. Le gérant exigeait une propreté flamande. Au cours de ses fréquentes tournées d'inspection, avec l'autorité que confèrent une jaquette noire, un gilet à cœur et un pantalon rayé, il entrait dans chaque cabinet, soulevait le siège, plongeait dans la lunette et flairait, humait, cherchant l'odeur.

Quand il était satisfait de son examen, il partait en déclarant :

« On y mangerait. »

Un connaisseur.

Ma mère, en bonnet et tablier blancs, frottait, astiquait, lavait, enlevait les traces.

Les vieux proverbes à la rescousse : « Il n'y a pas de sots métiers...

« ... il n'y a que de sottes gens », complétais-je en écho.

C'était une allée et venue de gens pressés et soucieux dans un bruit de ventres libérés et d'eau qui s'échappe, en trombe. Les clients avaient une tendance commune à s'enfuir de façon furtive sans attendre le coup de brosse qui fait venir le pourboire dans la soucoupe réservée à cet usage.

Les hommes semblaient impatients de retrouver dehors le sentiment de leur valeur, un instant perdue dans la pose accroupie. Les femmes, au contraire de ceux-ci, se trouvaient à l'aise au milieu des exhalaisons bizarres de désinfectant, d'infection et de parfums confondus. En fardant leurs joues et leurs lèvres, elles bavardaient avec moi et traînaient contre l'éventaire de savon, d'ouate, d'épingles que ma mère avait créé.

Attentif, et j'avais promptement acquis un savoir remarquable, je suivais l'évolution tumultueuse des diarrhées ou celle, soupirante, des constipations, jusqu'au froissement de papier de soie annonciateur du dénouement...

— M'man, le « cinq » va finir !

Ces jours fastes-là, je prenais mes repas à la cuisine aux côtés des garçons, femmes de chambre, grooms et valets qui, en raison de ma présence, voilaient les anecdotes de trous de serrures. Cela nous divertissait infiniment de voir le « chef » lancer ses crachats patriotiques dans les plats destinés aux officiers allemands, qui formaient la majeure partie de la clientèle.

Le soir, je partais, emportant le paquet de restes. On crevait de faim dans cette institution. Il me fallait tout manger vivement car les viandes n'étaient plus de grande fraîcheur et, du jour au lendemain, devenaient violettes et chevelues et prenaient un goût suret.

Comme les autres, j'eusse bouffé mes ongles et toutes les cochonneries d'apparence comestible si le fils du directeur, un garçon de dix-neuf ans, n'avait ressenti pour moi une subite sympathie et ne m'avait dispensé ses faveurs.

Il avait accoutumé de venir me dire un petit bonsoir lorsque le dortoir était endormi et de m'apporter deux tartines à la confiture. J'étais plein de gratitude.

Il se couchait à côté de moi et, à voix retenue, je lui ouvrais mon cœur. Cependant il rejetait la couverture et remontait ma chemise sous mon menton. C'était pour me réchauffer qu'il m'embrassait, fourrait son nez partout, caressait mes cuisses sans poils. Il me disait que j'étais joli. Il était bien gentil.

Au sujet de ma berdouillette, comme elle disait en bêtifiant inutilement, maman m'avait donné des ordres sévères :

« ... si tu y touches, elle grossira... »

C'est pourquoi je regimbai quand mon ami voulut y toucher et déclarai :

— Ça jamais !

Je n'ai pas eu froid aux yeux, cette fois. J'ai été jusqu'à ajouter : « Garde-les tes deux tartines à la confiture. »

Mais il a usé de mes confidences.

— Je dirai aux autres ce que fait ta mère et ils t'appelleront « caca fils ».

J'étais à sa merci. Je mordis ma langue et l'avalai, en même temps qu'il levait le masque et que le bandeau de mes yeux tombait.

Il m'a mené par le bout du nez et surnommé son petit cochon.

En un tour de main je fus initié aux mystères de la masturbation. Seul et à deux.

Cela devait me servir plus tard.

À la fin, il éjaculait dans ma bouche, le fils du directeur.

La connaissance entrait en moi.

J'allais de révélation en révélation. Parallèlement, je parfaisais mon éducation religieuse. Un prêtre me faisait réciter des fragments du catéchisme. Il me fut permis de préparer ma première communion. J'allais me confesser. Dans la boîte, le curé essayait de me tirer les vers du nez. Il voulait savoir si j'avais « des sales manières » — les Belges ont de ces formes — et précisait : « Est-ce que vous vous touchez la nuit ? » Il perdait son temps.

J'ai fait ma première communion en état de péché mortel, avec les fillettes sous gaze et les garçonnets noirs, le cierge d'une main et le missel protégé par un mouchoir brodé dans l'autre main moite.

On nous avait dit : « Ouvrez la bouche et fermez les yeux ! »

J'ai fait un acte de contrition intérieure et ultime.

« Tirez la langue et ne mordez pas ! »

En prenant eau et pain bénits, j'entendais l'Œil de Dieu me dire : « Ton compte est bon, mon petit cochon ! » Et je voyais le trou flamboyant qui m'attendait, au bout de la vie.

À cause de la berdouillette.

Ma mère m'a donné une montre d'argent, à double boîtier.

C'est peu de jours après le plus beau jour de ma vie que la blanchisseuse découvrit des taches douteuses sur mes draps ; elle s'en ouvrit au directeur qui fit toute une histoire. Il dit que j'étais une brebis galeuse et je compris qu'il aimait, lui aussi, les images. Je buvais mes larmes chaudes et salées en triturant ma ceinture tandis que le vieux agitait, dans l'air, sa calotte noire, au long du seul entretien que nous ayons eu et à la suite duquel je fus foutu à la porte.

Je ne sais ce que ma mère a pensé de cet incident ; elle ne me fit pas de reproches. Elle avait cette habitude de ne m'en faire jamais. Tout au plus, laissait-elle parfois entrevoir sa peine :

« C'est pour toi que je fais tout cela, mon petit gars. »

Elle pratiquait l'amour maternel sans illusion et puis, j'étais dans l'âge ingrat, moi.

XII

— Ici, me fit savoir Madame Slache, on se déchausse en entrant, pour ne pas salir l'escalier, et, dans les chambres, on sautille d'un paillasson à l'autre.

Bon.

— J'ajoute, poursuivit-elle, que l'on ne modèle pas sa conduite sur celle de Martial, qui est un ronge-cœur, et que l'on n'écoute pas ce que peut raconter Jean-mes-couilles.

Bien.

Jean-mes-couilles, c'était Monsieur Jean Slache, son mari. Elle empruntait l'expression à l'argot vigoureux des quartiers hauts de la ville et montrait ainsi le mépris que lui inspirait un époux sans autorité.

Martial, le ronge-cœur, c'était son fils.

*

Après que le sein du pensionnat m'eut vomi il avait fallu m'en trouver un autre. Celui de la famille Slache s'offrait dans les petites annonces.

Des gens très convenables, ces Slache !

Le jour de mon arrivée, Madame Slache apparut entre deux plantes vertes sur le pas de la porte de son étroite maison qui ne se différenciait que par le numéro de celles, en mêmes briques, contre lesquelles, à droite et à gauche, elle s'accotait familièrement.

Nous gravîmes l'escalier raide, court et dallé de marbre qui nous émerveilla, et nous pensâmes qu'ils ne se mouchaient pas du pied.

Ma mère, fascinée par le double sautoir d'or creux qui serpentait sur la poitrine sans graisse de cette dame, souscrivit immédiatement à toutes les conditions, qui étaient, d'ailleurs, acceptables.

Elles palabrèrent et, parce qu'elles m'avaient mis sur leur sellette, j'ai cherché une contenance dans les chaussures à hautes tiges et boutonnées de ma tutrice.

— Il faut lui laisser ses qualités, disait ma mère en confidence.

Les chaussures à boutons m'ont toujours dégoûté.

— C'est un grand nerveux...

À quoi, pour la rassurer, Madame Slache répondit :

— Il sera traité comme notre propre fils.

Je reconnais que, durant mon séjour chez ces gens très convenables, les gifles furent réparties avec une indiscutable équité.

On constata que Martial et moi étions dans notre quatorzième année et, dans les transports, que nous avions, au-dessus du mètre, le même nombre de centimètres. Ma mère ne se contint plus et laissa s'échapper une part des sanglots qu'elle avait dans la gorge. Bien avant elle je n'avais pas retenu les miens. Une dernière fois elle me fit ses dernières recommandations maternelles, nous nous embrassâmes et elle s'en alla pleurer dans les cahots d'un tramway.

Une autre vie nouvelle commençait ; au ras du sol, une vie de rats, dans la « cuisine de cave ».

« ... ici l'on se déchausse en entrant... »

*

Ma venue ne plaisait pas à Martial ; c'était évident. Nous étions au lycée dans la même classe et couchions sous les combles, dans la même chambre. Mais il restait fermé et taciturne avec des regards en dessous. J'étais prévenu, il faisait tout en dessous. Sale ronge-cœur !

À mes questions, il répondait :

— Tu verras ça, mon vieux !

Après avoir cherché longtemps dans ses narines, des crottes qu'il examinait sérieusement et dont, bientôt, il ne savait que faire.

— Tu verras ça, mon vieux !

Pour s'en débarrasser, il les roulait dans les doigts et les écrasait sur un meuble, sur un mur. Sur ses fesses creuses quand il se sentait observé.

À défaut de crottes, il surveillait, d'une main attentionnée, la maturité des boutons rouges et sans cesse renaissants qui garnissaient son front, en forme de diadème.

Le petit Slache avait une tête à poux que sa maman tondait tous les jeudis. Et, comme il n'était pas favorisé par la fortune, il avait aussi la tremblote.

Son crâne rasé lui donnait l'aspect d'un condamné par avance et sa tremblote faisait croire qu'il avait froid ou de mauvaises habitudes ou qu'il mastiquait inlassablement.

Au lycée, des professeurs s'y laissaient prendre :

— Qu'est-ce que vous mangez ?

— Je ne mange pas Monsieur.

Et il ouvrait grandement la bouche.

Mais ceux-là étaient dans le vrai qui lui ordonnaient d'enlever les mains de ses poches qu'ils supposaient, non sans raison, trouées.

Dans un coin de la classe, près du grand poêle, Martial faisait la nullité muette. On l'interrogeait pour le plaisir ; il sortait alors ses crottes où il trouvait parfois des réponses singulières.

Les craintes et les corrections communes nous rapprochèrent pourtant et, un soir, après s'être assuré que la marâtre ne nous épiait pas, il alluma un bout de bougie.

— Tiens, prends une cibiche.

Je n'ai pas voulu l'offenser.

Étendu sur son édredon et entre deux bouffées aspirées profondément, il me confia qu'il avait l'habitude de fumer avant de fermer l'œil. Il devenait loquace.

Des causettes ultérieures m'apprirent que la vieille était travaillée par le retour d'âge. Il ne savait pas exactement, moi non plus, ce qu'était le retour d'âge, mais il en connaissait les effets.

J'étais terriblement suspendu à ses lèvres et je tremblotais à mon tour.

« ... quant au vieux, il est complètement tapé. Il a déjà été interné deux fois. Et jamais deux sans trois... »

Il émit un rire, en gargarisme, derrière les dents. Un rire qui ne sortait pas. Un rire trop court, sans provision.

« Quand ça le prend, il se met à poil et donne de grands coups de tête violette dans les murs en gueulant comme un âne... »

Nouveau rire pas drôle.

« ... des types de la maison de fous viennent le chercher. On l'écrase un peu entre deux matelas et on est tranquille pour quelque temps... Mais, tu verras ça. »

En parlant, il vidait activement ses boutons.

— Tu as déjà senti l'humeur ? Ça sent drôle.

Cette digression me fit comprendre que j'étais entré dans son intimité.

Enfin.

XIII

La Compagnie du Gaz allouait une pension à Monsieur Slache ; la retraite à laquelle ont droit, après trente ans de service, les employés loyaux, et Mes Couilles était de ceux-là.

On voyait qu'il avait beaucoup à dire de cette longue période de sa vie.

Le gaz, sous la forme d'un souvenir inusable et ému, cherchait le plus souvent à s'échapper au cours des repas.

Il aurait voulu, timidement, nous tenir la jambe.

— Quand j'étais encore au GAAAZ...

D'un regard tranchant Madame Slache coupait la fuite.

— Assez de GAAAZ !

Le gaz, il faut que ça sorte. Monsieur Slache, qui en avait plein la bouche, s'épanchait dans sa tasse de café, la jatte à papa qui avait ceci d'étonnant qu'elle était en partie recouverte à seule fin que la moustache n'y trempât point.

Planter des clous, c'était également interdit.

Cogner, enfoncer à tour de bras.

Dans le bois, dans le plâtre, dans la brique.

Rien n'eût été trop dur.

Comme dans du beurre.

Grimper sur une chaise, inspecter murs et plafonds, portes et fenêtres.

Traîner à quatre pattes sur le plancher.

Manier tenailles, maillets et tournevis.

S'amuser.

« J'en mettrai bien un ici... »

Un clou pointu, une vis brillante, un piton solide, un crampon noir.

« En voilà un qui dépasse trop... »

S'essouffler, se congestionner.

Défendu par Madame Slache !

*

La peau de la tête de Mes Couilles était, comme l'avait remarqué son fils, violette. Le format en était excessivement grand et peu courant ; aussi était-ce la croix et la bannière que de trouver un chapeau qui la coiffât. Par-dessus, c'était bosselé et brillant.

Au dedans, des clous piquants sur fond de gaz léger. Ce qui, sans refoulement, eût donné un harmonieux équilibre.

En cette nature débonnaire, mais trop sanguine, les explosions succédaient aux transports et lorsque Monsieur Jean Slache se plaignait d'avoir la mer dans la tête, c'était un symptôme qui ne trompait pas.

Il fallait alors le coucher dans le lit Louis XV et lui couvrir le crâne d'un petit sac de glace.

Pendant qu'il était à rafraîchir, on ne l'avait pas dans les jambes.

XIV

La nuit et le jour, au loin, la guerre continuait. Nous collions l'oreille au sol pour entendre les grondements du canon et notre foi en la victoire finale restait intacte. Ils se faisaient grignoter.

Le temps dégoulinait ; les magasins fermaient d'ennui ; l'herbe, tout doucement, écartait les pavés des chaussées où ne circulait qu'un charroi rare de bœufs et de vaches au pis desséché, d'allure nonchalante et archaïque. Le boche, comme un morpion, s'incrustait et réquisitionnait tout : chevaux, voitures, autos. De ce dernier genre de véhicules, nous n'avions jamais eu un grand nombre, car la guerre avait arrêté cette jeune industrie dans son essor.

Tout ! La laine de nos matelas ; nos cuivres : casseroles et boutons de portes, et jusqu'à celui qui recouvrait les dômes de nos églises et cathédrales. Vandalisme !

Et, toutes les bornes de l'impudeur déplacées, ils nous payèrent. De l'argent pour des dômes d'églises !

Ils nous prirent nos chiens, nos bons chiens, nos compagnons fidèles et les mangèrent. Nous serrâmes encore une fois les dents : « Barbares ! » laissèrent-elles passer quand même.

On a souffert.

Leur communiqué quotidien volait, lui aussi, de victoire en victoire. Des morts, des blessés, des prisonniers, des villes conquises, du terrain regagné et jamais perdu, — un restant de front où tout était tranquille. Et la statistique, au jour le jour, du tonnage torpillé sur mer. Pas un mot vrai dans tout cela, bien entendu. Dédaigneux et incrédules, nous nous nettoyions énergiquement nos postérieurs avec leurs nouvelles mensongères, et l'avenir nous a donné raison.

Ils mangeaient déjà la graisse de leurs cadavres. C'est tout dire. Des trains silencieux amenaient les corps dans des fabriques où ils étaient rôtis et dégraissés. Ils en étaient arrivés là. Pouah !

À la manière de Jean Slache, ils plantaient — il y a de quoi se tordre — des clous dans la statue du Maréchal.

Les informations sûres, nous les trouvions dans *La Libre Belgique*, une feuille patriotique et prohibée que Martial et moi diffusions sous les ordres de Madame Slache. À la fin des hostilités, l'opinion publique exigea une récompense digne de l'attitude héroïque prise par cette dame pendant l'occupation.

« La croix pour Madame Slache ! La croix pour Madame Slache ! » clamait-elle. En s'enflant.

Elle l'obtint. Et Madame Slache, qui de son côté n'était pas restée inactive, fut faite chevalière de l'Ordre de Léopold.

*

De longue main, Martial avait déniché la réserve d'or de la famille. Je ne tardai pas à devenir son petit complice.

Il partait, de nuit, sur ses pieds nus, pour l'aventure ; je l'attendais et mon cœur battait, battait.

Le sac d'or se trouvait en un trou creusé dans le mur du salon et caché par une reproduction des *Glaneuses* de Jean-François Millet. Le jeune kleptomane extrayait les louis, un à un, et fort adroitement.

Avec l'argent ainsi obtenu, il faisait son bonheur et payait mon silence. J'étais à vendre pour pas cher. Il achetait des timbres-poste, des bagues de cigares, des billets de tramway, des couvercles de boîtes d'allumettes et des quantités énormes de chocolat — pas pour le chocolat, c'est moi qui le bouffais — pour les images dont il avait réuni une collection tout bonnement stupéfiante.

Il possédait bien d'autres richesses dissimulées dans une caisse, sur le haut d'une armoire. Après des serments solennels, je fus autorisé à m'en boucher un coin.

C’est sur les souvenirs de guerre que se concentrait notre curiosité.

Martial avait amassé des pièces rares. Il y avait un tas d’ossements blanchis que nous manipulions avec respect, « des tibias qui valaient bien dans les trois balles pièce ». Chaque objet avait son histoire : la boîte crânienne du fusilier marin, le casque à pointe, la carte postale perforée par un fer de lance, des bouts de pantalon garance trouvés accrochés aux branches d’un arbre. Les taches sombres, rouge sur rouge, c’était certainement du sang et, en tout cas, ce qui restait d’une escouade de soldats français. Il y avait aussi un éclat aigu du shrapnell qui avait fait cela, pas loin de Charleroi, en août 1914.

À la bonne école de Martial, mes progrès étaient rapides. À la mauvaise école, mes notes étaient basses et mon livret reflétait assez justement l’intérêt que je portais à la vente, l’achat, l’échange.

La remise des livrets avait lieu chaque samedi. Sur le chemin des écoliers, j’avançais les pieds lourds, avec dans le ventre le petit mal tenace, à la rencontre de Madame Slache. Nous remontions le boulevard qui longeait un jardin, en contrebas. Sans conviction profonde, j’étalais devant mon ami le trouble de mes débats intérieurs.

— Écoute. Je monte sur la balustrade ; je m’en laisse tomber... sur le sable. On n’en meurt pas. Une jambe cassée, c'est seulement quelques mois d'hôpital… Écoute…

Il me semblait, tant ma frayeur était grande, que c'était là l'ultime possibilité. Quel grand nerveux !

Martial trouvait que j'en avais une couche et haussait ses épaules pointues au point qu'elles touchaient ses oreilles.

De longue date, tout truquage était impossible. Au début, il avait tripoté mes livrets. Un zéro devenait un neuf, en ajoutant une queue.

La falsification se faisait au grand jour, sur un banc du jardin. Il grattait avec son joli canif à manche de nacre.

— Attention aux trous, lui recommandais-je.

Martial ne pouvait plus changer ses zéros car son livret était sous enveloppe cachetée. Nos manigances du jardin furent bientôt dévoilées et le mien alla l'y rejoindre. Une enveloppe pour deux faussaires.

Rien à faire.

Elle, sans cœur, nous attendait dans cette salle à manger Renaissance où l'on ne mangeait jamais et où l'on ne pénétrait qu'en pantoufles.

— Vos livrets ! nous enjoignait-elle et nous les lui tendions avec des pensées grossièrement formées et peu présentables.

Elle s'exclamait, en feignant la surprise.

— Ah ! Ah !

Slache passait le premier. Il acceptait les claques d'une manière très simple. Pas un mot. Son visage défraîchi prenait une expression de grand ennui.

— Chacun son tour, comme à confesse... La bonne blague belge : la zwanze.

Je me mettais entre les mains lestes de Madame Slache.

— Au lit ! Pas de sortie ! Pas de dimanche !

En Belgique, le « dimanche » est la petite somme d'argent qui est donnée aux enfants pour passer agréablement ce jour.

XV

Le printemps qui éclata, tôt, en 1916, c'est encore tout un chapitre. Cela commença au ciel par des blagues de nuages en boule ; cela commença, en même temps, sous la terre. D'en haut, cela descendit et se posa ; d'en bas, cela monta, par les racines. Sur les arbres du jardin, il y eut des fleurs.

En balayant les rues herbeuses, cela pénétra dans la « cuisine de cave » et nous découvrit au milieu de notre humidité et de nos désordres : la ménopause pour Madame, la vésanie pour Monsieur, la croissance pour les garçons.

Sous la peau vaseuse de la femme, une coulée de fraîcheur passa ; un surcroît d'activité se fit sentir dans les vaisseaux sanguins de Mes Couilles ; les boutons de Ronge-Cœur débordèrent d'un trop-plein jaune.

Printemps !

Le marchand de bonbons et d'articles scolaires qui vivotait en face du lycée, me trouva en âge d'entrer dans l'arrière-boutique où je pus feuilleter les albums de nus artistiques, sans arriver à fixer mon choix. Le temps n'était plus des pipes en sucre rouge et de ce lacet noir, qui, judicieusement sucé, pouvait durer une matinée entière.

Le fou perdait son gaz, par tous les trous.

L'enfant volait.

Le sac d'or se vidait.

Madame Slache ne me giflait plus.

Elle disait que j'étais bien moins hypocrite, bien plus intelligent, infiniment plus affectueux que Martial. J'avais du cœur.

Pour me démontrer qu'elle marquait de l'intérêt à mon perfectionnement spirituel, elle me permit de consulter, en sa compagnie, les pages défendues du dictionnaire médical. Elle me chatouillait la joue avec ses papillotes.

Nos bavardages prirent un tour des plus libres. C'est ainsi qu'un jour de ce précoce printemps elle me mit sous le nez un préservatif en me demandant si je savais ce que c'était. En vérité, je ne le savais pas et elle s'égaya de mon ignorance.

Le peignoir s'entr'ouvrait.

— Et un « petit truc » de femme, est-ce que j'en avais déjà vu ?

Je pris mon courage à deux mains et fis appel à mes souvenirs de pension.

Sur le papier, je lui traçais celui, bien connu, de la petite Germaine.

— Il y a aussi quelque chose comme une crête de coq..., disais-je pour provoquer son hilarité et comme pour excuser l'insuffisance de mon dessin.

— Ce qu'il est malin ce petit Parigot, s'écriait-elle en montrant ses grandes dents, trop blanches pour être vraies.

Elle avait le rire familial, en gargarisme.

Sur son ventre, elle serrait mes deux mains. Je compris aisément qu'il fallait appuyer et frotter. Avec un air de ne pas y toucher.

— Ce n'est pas ce petit dégoûtant de Martial qui...

Pendant ce temps, et elle ne s'en doutait pas, le petit qui était, certes, un dégoûtant s'amusait derrière un double tour de clef en société du vieux chien édenté et complaisant. Si vieux que les Allemands, eux-mêmes, n'en avaient pas voulu.

Elle me promit de m'en faire voir un vrai.

Un grand.

Le sien.

Mais elle n'alla pas jusqu'au bout.

Dommage.

XVI

Bruxelles était une étuve, un dépotoir, un boxon grandiose. Un arrêt court dans le voyage de la vie au trépas. Une pause pour les officiers avant d'aller respirer le parfum des violettes par en dessous ; pour les « hommes » avant d'aller manger les pissenlits par la racine.

Les soldats étaient attendus aux sorties des gares par des enfants qui leur glissaient des prospectus avec un geste obscène des doigts pour se faire comprendre et des clignements d'yeux pour les entraîner. Au verso du papier : un plan sommaire de la ville parsemé de fléchettes qui, que l'on débarquât de la gare du Nord ou de celle du Midi, conduisaient sans erreur possible à la rue Saint-Laurent. Une rue qui monte. La rue des lupanars aux larges portes cloutées d'or et d'argent, comme des porches de vieilles églises.

*

Aux cabinets, maman allait de l'avant. Son emploi était devenu lucratif. Dans l'antre, tout en faisant pipi, les pauvres poules sans amis se plaignaient de la dureté des temps qui courent.

« Oh ! si vous saviez ce qui m'arrive. Le dernier que vous m'avez trouvé : le lieutenant d'artillerie. Vous savez bien, le blond mince qui avait tant de savoir-vivre... vous y êtes. Eh bien ! il ne m'écrit plus. Il doit être mort, j'en suis sûre. Qu'est-ce que je vais faire maintenant ? Ça a beau être des Allemands, ça fait, tout de même, quelque chose. C'est des hommes comme les autres, au fond. Pas vrai Madame Caca ? »

Au fond, oui.

Elles étaient souvent dans une situation intéressante et elles ne savaient pas comment cela s'était fait.

Voyez-vous ça !

Ma mère s'entremettait complaisamment, rendait de ces petits services qui maintiennent l'amitié. Tantôt conseillère, tantôt cartomancienne et, quand il le fallait, faiseuse d'anges.

Sans fléchettes, les officiers permissionnaires trouvaient son sous-sol.

Les uns désiraient une brune un peu boulotte. Les autres exigeaient une blonde plutôt forte.

La plupart ne voulaient rien ou, pour mieux dire, une femme, tout simplement.

Madame Caca hochait sa tête, enregistrait la demande et elle avait déjà trouvé ce qui serait, à peu près, convenable au militaire enflammé, alors que celui-ci continuait encore à tracer les contours de sa compagne rêvée, des deux mains, dans le vide.

Ce n'était qu'un jeu de choisir parmi les pénitentes qui défilaient dans un grand déballage de petites affaires.

Une providence, en un mot.

Malheureusement, elle avait contracté l'habitude de tousser ; le médecin dit que c'était un commencement de tuberculose et qu'il fallait quitter les lavabos. Ce qu'elle fit sur un coup de maître : Ernestine qui arrivait de son patelin avec l'intention nette de faire la putain tombait vraiment à pic. Elle n'eut pas un protecteur, mais deux et ma mère entra à son service en qualité de bonne à tout faire.

Du même coup je quittai les Slache, sur mes instances. La catastrophe que je redoutais se produisit après mon départ : Martial a été pris la main dans le sac par son papa qui s'était levé pour enfoncer ses clous imaginaires et qui a piqué une crise et que l'on dut faire enfermer derechef, mais définitivement cette fois. Mon copain a été mis en maison de correction, pour y faire une chanson, jusqu'à sa majorité. J'eus le nez fin ou creux.

Les deux amis d'Ernestine, deux cantiniers, ravitaillaient avec profits un régiment du front et se relayaient sur sa couche.

Quinze jours pour Pierre, le petit Juif pommadé.

Quinze jours pour Paul, le gros Saxon.

Elle était ronde partout : joues, seins, croupe. Une bonne fille à rouler, sans plus.

Dans son appartement meublé bourgeoisement, la jeune femme se reposait de la fatigue, prenait du bon temps qui lui avait manqué. Elle engraissait lentement, « faisait du lard » comme le constatait ma mère, à la cuisine. Elle avait un beau tailleur noir à parements et revers de fourrure et tout ce qu'il faut pour être heureuse.

Ernestine sortait peu et se faisait des journées de vie complète du miroir au piano, du piano au balcon.

Au miroir, elle souriait bêbêtement et gaiement.

Au piano, elle faisait le clair de la lune, à une main. Ce n'était qu'un début.

Au balcon, elle s'accoudait à s'en faire mal aux coudes et son gros œil faisait semblant de voir passer les gens et les heures.

Le soir, elle était clouée au lit.

Avant dans le temps, à la filature du pays, les bobines tournaient pendant douze heures d'affilée.

Plein la vue des bobines, rien que des bobines. Plein le dos.

Et du fil.

Les contremaîtres puants de la gueule en voulaient qui la renversaient dans les réduits et aussi les jeunes ouvriers qui la poussaient au fond des fossés humides de tous les chemins qui s'en vont de la ville noire pour entrer, sans crier gare, dans la campagne.

Elle avait changé de route, Ernestine.

D'être descendue sur la capitale et d'avoir confié son destin à une personne honnête et de sa bonne fortune, elle se félicitait encore quand deux étoiles roses apparurent sur sa gorge.

Un des deux Allemands, avait le Mal français. Le petit Juif, peut-être, ou le gros Saxon. Ou les deux ensemble, plus vraisemblablement.

Ernestine est entrée à l'hôpital. De la filature à l'hôpital, ça c'est le vrai circuit.

Une syphilis comparable à la sienne, on n'en avait pas vu souvent. Après chaque piqûre, la chair de ses cuisses, de ses fesses s'en allait par morceaux gros comme un poing. Elle devint toute pourrie et mauve.

Elle a perdu ses longs cheveux bruns. Elle est morte à l'hôpital, la belle putain.

Et moi, je ne pouvais plus la regarder et la trouver aimable et blanche et parfumée. Je ne pouvais plus la baiser des yeux.

Chemises légères et tachées, dentelles de soutien-gorge bleuies sous les bras par la sueur, culottes de jersey avec des traces à l'intérieur, le long de la couture... linge sale dont je m'emparais pour y retrouver les odeurs qui amènent les érections.

Tout ce qui ne sentait pas bon m'était bon.

XVII

Les économies réalisées chez la femme entretenue défunte, qui n'était pas pingre, permirent à ma mère d'ouvrir un comptoir d'alimentation à l'ombre imposante et gothique de Sainte-Gudule, la cathédrale.

L'argent en papier afflua. Nous vendions des camemberts de plâtre et des saucissons avariés à l'ennemi famélique et conciliions, de cette façon astucieuse, les affaires et la haine de l'occupant. C'était encore trop bon pour eux.

Assez de choux-raves et de ce pain quotidien de son dont nous recevions deux cent soixante grammes par personne. Dieu, alors, n'était pas large.

Nous vécûmes bien et mangions notre pain blanc. Ma mère portait des jupons de soie.

L'Angélus du soir du clocher me rappelait qu'il était venu le moment de fermer boutique et, peu après cette sonnerie, je baissais en tirant la langue le rideau de fer où, sur la partie supérieure, deux as de pique étaient dessinés à jour.

Nous nous rendions au restaurant cher, pour nouveaux riches. Il y avait visiblement quelque chose de changé puisque nous y pénétrions par la porte-tambour. Au théâtre, de bonnes places rouges nous étaient réservées pour voir et entendre *Manon* et sa petite table, *Carmen* et son ami Lillas Pastia, *Lakmé* et son doux regard voilé, *Madame Butterfly* et son beau navire.

La prima donna était, à la guerre comme à la guerre, grassouillette et fanée et son accent local ne pouvait plus me choquer car, à mon tour, par lui j'avais été conquis.

Jeune étudiant, j'arborais fièrement la casquette de velours bleu, enrubannée, à longue visière cassée bien propre à couvrir les regards tordus d'un garçon pubère. J'avais un pli de pantalon épatant. Le poil m'était venu au menton, au ventre, au creux de la poitrine. Partout, ce qui d'abord me surprit et me désola. Je devais en avoir aussi sur ma jolie petite âme. Et, ma voix muait sans qu'il me fût possible d'en maîtriser les écarts de l'aigu au grave. Malgré ces avatars, inévitables, le moral, sinon la morale, était bon.

Les petits saligauds de la cour de l'école communale étaient devenus de bons jobards sur qui s'étendait mon autorité. On se battait pour moi. Nous étions sortis de l'âge où les réputations s'établissent à la force du poignet.

Craintif, je l'étais demeuré. Les années anciennes m'avaient donné un gros complexe d'infériorité et je ne le savais pas, ignorant tout de ces chichis psychiques. Le gros complexe s'agitait, rongeait, mordait. Tout comme les petits vers blancs du derrière de l'enfance.

Et, je me livrais aux plus incohérentes fantaisies ; les professeurs, étourdis par ma grande insolence, me traitaient avec une sorte de considération.

J'étais un chef.

Élève brillant, irrégulier, bien vêtu, jusqu'où ne serais-je pas monté ?

En quatrième, le complexe m'a encore joué un mauvais tour.

Nous nous trouvions dans la salle de dessin ; mon voisin était « Jaune d'Œuf ». Ce sobriquet lui avait été donné parce que ses cheveux étaient jaunes. Le type, plus âgé que moi, échappait à mon influence et nous avions peu de rapports. Un violent, un paysan, dont sous cape nous riions, et qui ne goûtait pas ma finesse.

Vers la fin du cours — ma surprise fut grande — il me poussa un coude dans les côtes.

— Prends ça ! dit-il en désignant une boîte de crayons de couleurs.

Il m'estomaquait celui-là. Je la pris.

— Le prof m'en a donné deux, voulut-il bien m'expliquer. Mets-la sous ta chemise.

Je la mis sous ma chemise, sur ma peau. Mon prestige était engagé.

« Paie de ta personne ! » me lançait ma conscience.

Notre professeur était un monsieur à barbiche qui peignait le dimanche et qui portait des cols « à la Guizot » et des chaussures extrêmement longues, du type « boulevardier ». Il fit, avant la sortie, ramasser les boîtes. Il les a comptées. Je savais bien que, régulièrement, il les comptait.

Une fois. Une seconde fois...

— Il en manque une, cherchez partout !

Nous avons cherché partout.

Le maître, qui avait eu le temps de se faire une opinion, dit :

— J'accorde cinq minutes de réflexion à l'élève qui a dérobé les crayons.

C'était chic de sa part.

— Ferme-la ! me glissa Jaune d'Œuf, sur un ton peu civil.

Alors, nous avons été fouillés et tâtés, un par un. Le dimanchier, dans l'accomplissement de cette tâche, recouvrait de la bonne humeur. Le fait était insolite.

J'ai marché dans le désarroi, avec des prières retrouvées :

« Ô, Vous qui voyez tout et savez que je suis innocent... »

Petites flatteries, suivies de tentative de corruption :

« Je vous donnerai des cierges. Je ferai des neuvaines et des chemins de croix. Combien en voulez-vous ? Alors ça marche ? »

À Tolbiac, cela avait réussi.

Il n'a pas voulu entrer dans la combine. L'homme aux longs pieds toucha ma chemise qui était de tricot et à tordre, sentit des doigts le carton, il fit : « Hé ! Hé ! » Très sarcastiquement.

Naturellement, je fus, une fois de plus, mis à la porte. Le recteur parla très sérieusement de me faire arrêter, puis se plaça sur le plan patriotique, qui lui était familier, pour estimer que je n'honorais pas la France.

Lui aussi avait perdu son menton quelque part.

« Sur ce souvenir gênant, je jette le voile de l'oubli », me dis-je en une langue élégante.

Ma foi catholique fit place à un scepticisme tout à fait voltairien. Ainsi vont les choses...

Absorbée par son négoce et sans sortir le crayon de sa bouche, maman fit une allusion fatiguée à « ses » quatre planches.

Elle dit à peu près : « Je n'aurai la paix que dans mes quatre planches... » Mais c'était là une habitude plutôt qu'une récrimination.

J'allai dans un autre lycée — athénée, dit-on à Bruxelles.

XVIII

On dit aussi là-bas et c'est vicieux ; « fréquenter avec... » Je fréquentais avec Antoinette, la fille de l'hôtel de passe.

Elle m'avait distingué et choisi entre dix autres garçons. Elle avait dit, sans ruse : « C'est toi que je préfère. »

Quinze ans de printemps, c'était son âge.

Au-dessus de son nuage de cheveux crêpelés et blonds, volait un nœud large de taffetas, en accord par la teinte avec ses robes. Je me rappelle un ruban bleu de ciel.

J'empochais les sous, je les volais peut-être, pour lui acheter des bonbons, pour l'emmener dans les loges chaudes du cinéma.

Quand, bras dessus, bras dessous, nous marchions je contrefaisais l'énervé.

Je l'étreignais trop et je l'embrassais mal. Elle sentait le linge propre et blanc.

Chère Antoinette.

Sucrée Antoinette.

À seize ans, je faisais des poèmes la fleur aux dents. Comme vous et moi.

Bien droit sur mes pieds, mains aux poches devant un objectif absent, raide et tout verbeux j'entonnais mon cantique à la gloire de la Patrie, de la Nature, de l'Amour.

Au choix.

Le climat était propice à la poussée, au développement de pensées nobles et de sentiments élevés. J'en avais, j'en étais plein, j'en débordais.

D'un côté, les bons ; de l'autre, les méchants. Et pas de pitié pour les méchants !

Mes idées, peu nombreuses, n'étaient pas troubles.

Il a fallu du temps pour que tout sorte. Je veux parler des bonnes vérités et des lieux communs que, pendant des années, j'ai rendu en énorme dégueulade.

Ce qui était entré par l'oreille s'en alla par la bouche.

Personne n'en fut incommodé.

Le seau de fer, les bonnes souffrantes, les vieux messieurs — plus près encore : les w.-c. de l'hôtel. —... Oublié, tout cela. L'ingestion avait été massive et parfaitement assimilée.

Fils respectueux en passe de devenir le bon soldat, l'employé ponctuel, le mari aimant, le père à son tour respecté. Facile. Il ne fallait que suivre. J'étais, on le comprend, un petit bonhomme engagé sur la bonne voie.

Le petit bonhomme de chemin.

Quelques années encore et ma mère, qui eût alors frisé les cheveux rares de la cinquantaine, aurait avec un sourire béat sous sa capote à brides, à plumet, à garnitures de jais, légèrement ridicule, béni mon beau mariage.

Nous aurions fait des chérubins rosés et joufflus, aux cheveux d'or, qui eussent taquiné la grand-maman déjà sourde un peu, et gâteuse.

À ses écarts de langage, à ses pertes de mémoire nous aurions, bienveillants, hoché du chef et dit : « Elle a tant travaillé, la sainte vieille. »

Et puis, elle eût rendu l'âme doucement, sans douleur. Nous, ses enfants, lui aurions clos les paupières pieusement et montré une véritable affliction en nos vêtements de deuil.

C'est à l'aide de ces brillantes couleurs que mon imagination effrénée brossait le tableau de mes joies futures.

*

La fin de cette guerre approchait.

On avait gagné.

Les soldats faisaient la révolution et retournaient leurs calots, dont la doublure était rouge. Ils hurlaient notre *Marseillaise* et nous tendaient des mains que nous ne pouvions refuser de prendre.

« Tous camarades ! » baragouinaient-ils.

Un Comité révolutionnaire lança des proclamations qui ne nous intéressaient pas.

J'ai un souvenir personnel d'un très jeune triste soldat, au vêtement rapiécé, qui m'a mis dans la main sa cocarde de Prusse, noir et blanc. Silencieusement.

La lumière nous fut rendue.

Un journal mit une grande manchette : « La presse est libre ! »

En bonnets rouges, les soldats dégradaient et désarmaient leurs officiers qui blêmissaient sous leur culot en perdant leurs dragonnes, leurs galons, leurs décorations, leurs épaulettes.

Les régiments fidèles succédaient aux régiments révoltés. Ils se battaient, se supprimaient eux-mêmes, à la mitrailleuse.

Autant de moins.

Des ni fidèles ni révoltés : des débrouillards, mirent à sac les entrepôts et l'on réussît encore quelques bonnes petites affaires. Ils parcouraient les rues, poussant devant eux des voiturettes chargées de bottes, de pneus, de conserves, de confitures...

Les prisonniers revenaient de captivité. Tout le monde en voulait.

En déroute, les armées fuyaient sous les sifflets de ce généreux peuple, petit par le nombre mais grand par le cœur, qui avait assez subitement repris le goût de son indépendance.

Rouges ou blancs, ils partaient enfin ces salauds qui sentaient si mauvais le pain sur et la graisse de bottes. Et, si nous avions osé, c'est à grands coups de pied quelque part que nous les eussions chassés jusqu'au Rhin, ou même plus loin.

Le onze novembre, les Alliés sont entrés dans la ville. Élégants, bien nourris, fumant des cigarettes parfumées. Pour nous mettre à la page, nous apprîmes *La Madelon*.

Il y avait des gens qui ne nous envoyaient pas dire que nous étions des traîtres et des accapareurs, aussi dûmes-nous déménager précipitamment.

Jalousie !

La vérité est que nous nous montrâmes à la hauteur des circonstances. On était, avant tout, tricolores et on le fit bien voir.

De grandes heures sonnaient à l'horloge de l'Histoire. Pour le retour triomphal des héros, nous étions accrochés sur une échelle à vingt francs et mêlions nos pleurs, ma mère et moi.

Ce fut un défilé mémorable.

En tête, le Roi-Chevalier et la famille royale. Tous à cheval.

« Vive le Roi ! Vive la Reine ! »

Et après, les petits soldats, tous les petits soldats qui restaient.

« Vivent les petits soldats ! »

Suivaient les nègres, les Arabes, les Canadiens, les Portugais...

« Vivent les nègres ! »

Les tanks, les canons...

« Et vivent les tanks ! »

À la fin, nous avions la gorge irritée. Dans la soirée, la foule a défoncé les vitrines des vendus notoires et rasé la tête d'une douzaine de prostituées de la rue Saint-Laurent, qui avaient commercé de leurs charmes avec les vaincus. On en a déshabillé quelques-unes en pleine rue. Quelle rigolade !

Des patriotes exaltés opinèrent qu'il eût été bon de les livrer à la flamme purificatrice du bûcher, mais cette idée ne fut pas retenue.

On avait tous avalé le drapeau, avec la hampe.

XIX

Nous sommes revenus, mère et fils, à Paris qui s'appelait alors Paname. De mon temps on disait encore Pantruche. En réfrénant des haut-le-cœur, nous avons repris possession de la chambre de la Cour de la Grâce de Dieu. On parlait d'une crise des mœurs et d'une crise du logement. Ma mère, à cause de cette dernière, y perdit son latin et s'arracha les cheveux, au sens figuré des deux expressions. Elle ne comprenait pas, s'étonnait qu'un tel nettoyage — carnage disait-elle — eût un tel aboutissement et se laissait aller à soupirer que c'était beaucoup de sang versé pour rien.

Pour rien ?

Elle regardait, comme toujours, par le gros bout de la lorgnette.

Et l'Alsace, ma mère ! Et la Lorraine !

*

Quand, après quatre années de raisiné, les gens de haut lieu eurent estimé que cela suffisait, ils dirent aux guerriers : « Cessez le feu ! » à l'aide d'un clairon. Sans cet ordre, ils y seraient encore. Ils auraient tenu cent ans, tout de même que les aïeux.

Nos poilus, nos moustachus quittèrent alors leurs tranchées, rendirent sagement les armes, qui leur avaient été confiées pour un temps, et s'installèrent dans l'après-guerre avec leur grandeur, leurs tambours, leurs trompettes, leurs droits sur nous et avec leurs gueules peu ordinaires de têtes à massacres, têtes de Turcs, têtes de pipes.

Têtes hautes sous l'Arc de Triomphe.

Au même lieu, sous les caresses de courants d'air lourds de gloire immortelle, furent mis des fleurs, une dalle, une flamme, un flic. Et un homme fut enterré, qui avait été choisi parmi ceux qui observaient un silence mortel dans des cimetières sans crise.

À l'ombre des anciens combattants de retour au foyer, les nouvelles couches rampèrent, poussèrent et s'exténuèrent en cris admiratifs.

Il était de bon ton de s'excuser, en manière de préambule :

— Je suis, je le sais, un peu jeune...

Pour un oui et pour un non, à tout bout de champ, ils nous mettaient sous le nez leurs médailles et leurs rubans. Nous dûmes écouter leurs récits de pluies de balles, de nappes de gaz, de marmitages et d'heures « H », qu'ils avaient sur le bout de la langue et que nous eûmes bientôt sur le bout des doigts.

Et par-dessus la tête.

Eux, eux qui avaient eu faim et froid, les pieds dans la fange, les oreilles gelées, la peau trouée, les membres arrachés, pendant quatre ans, pendant quatre ans.

Ils tapaient dans le vide de leurs ablations en disant : « J'ai laissé ça à Verdun. » D'autres avaient laissé ça dans la Somme. D'autres encore étaient allés plus loin pour obtenir un pareil résultat... à Salonique... à Arkhangelsk... « J'ai un moignon, je ne vous dis que ça », ajoutaient-ils avec des coups malins de l'œil. Pour exciter l'intérêt, qui s'amollissait.

Ils nous ont narré leurs opérations chirurgicales inédites et inouïes dont ils étaient sortis raccourcis et diminués, allongés et pas agrandis.

Ils avaient eu des rats, des poux...

C'était un tournoi et les avantages se calculaient en pourcentages. Entre « cent pour cent foutus » surgissaient parfois des contestations ; on trouvait le moyen de se chamailler sur la manière.

Et nous, qui n'avions ni lésions, ni blessures, qui n'avions eu que la grippe espagnole, que pouvions-nous rétorquer à l'homme qui avait, lui, des éclats d'obus qui se baladaient dans son intérieur, et qui en connaissait le nombre exact, et qui se tordait de voir nos mines... L'homme aux éclats laissait entendre qu'à tout instant un bout d'obus pouvait, dans sa course, rencontrer son cœur ou quelque autre organe vital.

— Ça peut s'passer au moment que j'vous parle.

Après les « Oh ! » et les « Ah ! » du début, nous nous sommes montrés plus difficiles. Nous n'acceptâmes plus tout en vrac et avons exigé qu'ils creusassent le genre. Ils creusèrent.

La rhapsodie tourna en litanie.

Les morts de la Grande Guerre et les veuves de la Grande Guerre. Et les orphelins de la Grande Guerre.

Les horreurs de la Grande Guerre, les victimes de la Grande Guerre, les dommages de la Grande Guerre, les pensions de la Grande Guerre.

Les profiteurs de la Grande Guerre et les bénéfices de la Grande Guerre.

Nous finîmes par trouver ces histoires du dernier mauvais goût.

Nous pensions qu'il nous eût été facile d'en faire autant. D'ailleurs, nous allons bien voir...

Les ex-héros, sans auditoire, se réunirent en amicales à initiales pour s'étonner entre eux...

« J'suis gazé, aveuglé, trépané, commotionné, piqué, esquinté, émincé, bombé, anémié, enfilé, balafré, tailladé, défiguré, éventré, éborgné, crevé, amoché, déchiqueté, amputé, empoté, embroché, écrasé, recollé, replâtré, estropié, mutilé, brûlé, cicatrisé, perforé, couturé, édenté, troué, contusionné, émasculé... pour le restant de mes jours. »

Et meurtri.
« J'suis manchot... J'suis cul-de-jatte. »
« J'suis homme-tronc. »
Le bouquet.

XX

Je continuais mes études au lycée Charlemagne.

J'y grignotais ma gomme ; j'y mâchais le bout de bois rouge de mon porte-plume, les heures et l'ennui de la vie. J'avais des boutons et un grand dégoût pour l'humanité tout entière.

On ne sait où aller et on croit qu'on n'arrive jamais.

Je me grattais le sexe sous le pupitre, dans les escaliers. Sans relâche.

Mes condisciples organisaient, en chambres obscures, des réunions clandestines qu'ils disaient amusantes et que je ne frayais pas, moi, préférant m'ébranler la santé tout seul.

C'est dans les salles de cinéma que, chaque semaine, j'allais faire ma provision de femmes. Pour mes nuits.

Un petit billet pour un petit jeune homme.

Muets, coulaient en épisodes hebdomadaires, *Judex* et le *Masque aux dents blanches*. Et les premiers petits Chaplin, dont on ne nous avait pas dit encore qu'il était génial.

Derrière le rideau de velours, dans une lumière mystérieuse, le piano mangeait le violon, avec des rires de cheval.

En ce temps, les vedettes se refusaient aux déshabillages sur les écrans de nos quartiers. Il fallait tout faire soi-même.

Je quittais la salle. Dans la nuit des rues, j'allais d'un pas rapide, chargé de morceaux de femmes.

Les seins durs de l'une ; les jambes longues de l'autre ; les fesses molles d'une troisième héroïne, je les emportais sous mes draps où, patiemment, je me fabriquais un petit cadavre sans tête avec lequel j'avais des enlacements chauds, alors que ma mère eût parié gros que depuis une heure, je dormais à poings fermés.

Elle me prenait pour un songe-creux.

*

Un soir, en rentrant chez nous, j'ai trouvé un monsieur d'allure respectable dans son veston noir et sous ses cheveux à la neige.

Il était assis près de la cheminée, dans sa confusion.

C'était mon père, le personnage abject et vil.

— Tu ne l'embrasses pas ? me demanda ma mère.

Mais si, avec des lèvres froides, des dents serrées.

Je soupçonnai qu'elle avait déjà manié l'éponge du pardon des offenses ; j'en fus certain quand elle arriva au bout de son allocution décousue et filandreuse pourtant :

« ... je n'ai pas le droit de te priver de père. »

La propension au sacrifice, toujours.

J'observai l'arrivant : « Tiens, tiens, pensai-je, il n'a plus son bouc. »

Et dis : « Tiens, tu n'as plus ton bouc. »

Pour dire, simplement, quelque chose.

*

Il coucha là.

Pas seul.

Avec la sainte.

Appels de bouches — espèces de râles — craquements de bois, dans une seule chambre.

Ma mère était déboulonnée.

*

Chute du pot au lait de mes rêves, qui se brisa.

Elle refusait mon dévouement, le chapeau à plumet, les taquineries des chérubins, la fin édifiante.

Je restais avec mon bâton de vieillesse et la chaise percée, qui était un fauteuil à roulettes dans lequel je l'aurais doucement poussée vers ses quatre planches, pour le couronnement d'une vie de travail.

*

Je me mis à sécréter de la haine, ce qui m'était facile, et essayai de les séparer, de mettre entre eux la zizanie.

À coups de langue dans le tuyau de l'oreille de ma mère.

Je l'invitai à reprendre nos duos touchants d'autrefois.

Je lui rappelai les coups qu'il lui donnait pour lui casser la gueule.

— T'en souvient-il ?

Elle disait qu'elle n'avait pas oublié, mais en peu de mots et par sa seule présence, mon père rétablissait son ascendant.

J'aurais dû lui faire le coup de : « Lui ou moi ! »

Peut-être.

Pour m'apaiser et pour ne rien dire, ma mère savait trouver des phrases toutes faites :

« Il faut que l'église reste au milieu du village. »

XXI

Mon père était un de ceux à qui la guerre avait fait du bien.

D'un village de Scandinavie, où il était resté durant la tourmente, il revenait en bonne santé et moralement tout neuf.

Dans les derniers jours de juillet 1914, le trente et un exactement, ses convictions antimilitaristes inébranlables lui avaient ordonné de s'expatrier. Il obéit, quitta Paris et son bureau en emportant la serviette qui renfermait les encaissements de fin de mois. De quoi végéter pendant quelques années. Pour une fois, il avait vu loin.

Là-bas, le déserteur commença à voir clair et comprit son aberration. Il changea la chemise de ses idées. Bientôt, l'Entente n'eut pas de meilleur champion dans toute la péninsule.

Dès les premiers jours, attaché à la fortune de nos armes, il suivit les opérations, avec un intérêt croissant et sur tous les fronts à la fois.

Sans perdre le courage, sans se plaindre jamais, il tint de toute son âme.

Il fut stoïque sur les routes de la retraite, miraculeux lors du redressement, impassible dans la stagnation et généreux après la victoire.

Brave toujours.

Il leur fit voir le vrai visage de la France, à ces bons Norvégiens.

La note d'insouciance et de légèreté, qui lui est propre, ne manqua pas.

Mon père parcourut cette terre hospitalière, commettant, çà et là, de médiocres escroqueries.

Au pied levé.

Les bons Norvégiens trouvèrent le tableau criant de vérité.

Louise, ma sœur, qui avait été du voyage ne fut pas du retour. Elle resta dans la brume des fjords avec une petite bouche de petit gosse à nourrir et sans ressources.

Pour lui apprendre à vivre.

C'était elle la belle vache maintenant. Sur ce point nous étions tous d'accord.

— Elle m'a assez fait souffrir, estimait ma mère qui n'était pas méchante pour un sou et qui ne souhaitait de mal à personne, elle ne le paiera jamais trop cher.

Mon père approuvait.

Je ne pouvais m'empêcher de lui reconnaître une belle figure de justicier.

Nous nous rabibochions, petit à petit.

Les terrains d'entente ne manquaient pas où pouvaient se jeter les bases d'une famille heureuse.

Il joua des cheveux blancs et je me décidai à réviser les jugements sévères du tribunal de ma conscience.

Mon instruction fut trouvée suffisante parce qu'à mon âge il ramassait des mégots sur le Sébasto. Je le suivis sur les champs de courses des environs de Paris : Auteuil, Vincennes, Longchamp...

Ce fut une folle éclosion de goûts ataviques.

— Tel père, tel fils, disait ma mère avec un faux air fâché.

Les liens du sang se resserraient.

De plus, nous étions tous deux ardemment poincaristes, en ce temps d'inaugurations de monuments aux morts.

*

En voulant faire montre d'initiative, j'ai perdu ce qui restait du pécule norvégien.

Mes progrès avaient été si rapides que mon père s'en était remis à moi pour l'exécution de ses idées.

Le retour fut des plus désagréables. Martial n'était pas là pour me redonner de la fermeté, comme il le faisait quand nous apportions à Mme Slache des livrets dont nous étions les premiers à nous plaindre.

À la maison, mon père est entré dans une colère si grande que je ne l'en vis pas ressortir.

Il m'a traité grossièrement de tous les noms, et de petit con.

Je lui préparais une réponse en mots pas mâchés.

Ma mère faisait des signes pacificateurs voyons-voyons.

Dans un interstice j'ai glissé : « La bave du crapaud n'atteint pas la blanche colombe. »

C'était digne.

Papa n'apprécia pas ma répartie et me gifla sur la figure. En plein.

Alors, rompant les liens du sang, je m'en suis allé.

XXII

Je m'en suis allé pleurer métaphoriquement dans le gilet de mon autre papa.

Papa Antoine, que je savais trouver sur la pelouse d'Auteuil, aux bords de la rivière du Huit.

Son pieu était là, autour duquel il tournait en ronds. Il broutait son herbe de ses dents de chèvre, longues et brunes. Il raffolait de celle des champs de courses, usée par des pieds frénétiques.

C'est bon l'herbe.

Chacun sa part.

Broute ! Bouffe ! mon vieux.

Il exerçait le métier de marchand de tuyaux.

Entre deux courses, il gesticulait devant un demi-cercle de crevards passionnés. Par terre était étendue une toile cirée couverte d'inscriptions sibyllines qui démontraient l'excellence de la méthode. Monsieur Antoine travaillait principalement dans l'origine, quoiqu'il ne négligeât point le poids, l'âge des chevaux et leurs performances passées.

Il avait adopté une tenue sportive : leggings de carton, culotte de cheval, cravate de chasse de piqué blanc et casquette.

Je cherchai vainement son chic d'autrefois.

Mon Dieu, comme il avait changé !

La décoration quelconque de sa boutonnière, et dont il abusait, lui assurait le respect habituel.

« Mes bons amis, annonçait-il, chez moi rien que des bonnes affaires, rien que des certitudes... »

(*et je me redresse, et je me dandine sur mes jambes en cerceau, et je me fais des crocs avec ma moustache, et je souligne de l'ongle sale le ruban d'ancien soldat.*)

« ... je vous ai donné hier un gagnant dans la deuxième... un gagnant dans la troisième... »

Il mentait.

Les miteux se laissaient prendre à l'émail clinquant de son parler. Pas une expression hippique et d'outre-Manche qui ne lui fût connue : walk-over, bull-finch, open-ditch, le finish du crak... et sa prononciation complétait l'illusion.

« Aujourd'hui, encore une bonne affaire, une certitude. J'la vends un franc, vingt sous. »

On achetait les papiers pliés, en se cachant, après avoir supérieurement ricané.

Médème ne parut pas étonné quand, pour la première fois, il me rencontra dans les brancards du guichet aux cent sous. « Fatalitas ! » c'était son mot.

— Et comment va ta mère ? me demanda-t-il.

Nous sirotions une boisson fraîche sous le parasol gigantesque du marchand de coco qui était un copain.

— Elle va bien, répondis-je.

Patati et patata.

— De mon père, ne m'en parlez pas...

J'avais à parler, moi.

Et cela faisait l'effet d'un miel pour Monsieur Antoine et d'un ciment solide pour notre amitié.

Plus fort que la vérité : les Quatre vérités.

*

En laissant couler mes larmes dans son gilet, le jour de la gifle, de la blanche colombe et de la bave de crapaud, je vis sur le devant de sa chemise du sang de punaises écrasées ; taches rougeâtres que cachait mal la cravate de piqué.

Ces bêtes venaient à lui, depuis longtemps.

L'échelle sociale, il la descendait.

Je lui fis un petit pas de conduite.

Il m'offrit l'hospitalité de son hôtel mal meublé et bien borgne.

Dans l'association que, d'un commun accord, nous formâmes, mon rôle consistait à survenir au moment opportun, c'est-à-dire vers la fin du speech, et à lui secouer chaleureusement la manche du veston, et à débiter en me coupant la voix et la respiration d'émotion.

— J'vous r'mercie, M'sieu Antoine, grâce à vous j'l'ai touché.

Le bras était introuvable dans la manche du veston.

Olympien, il rétorquait :

— J'te l'avais dit, mon p'tit, qu'il gagnerait en pétant.

Ou, en d'autres termes, qu'il eût gagné la queue en trompette, ou dans un fauteuil. Notre chiqué n'était pas sans variantes.

— En effet, M'sieu Antoine, c'était du tout cuit.

J'allais l'attendre derrière une baraque ; il achevait son boniment.

« Mes bons amis, j'la vends un franc, vingt sous. »

Quelques minutes avant le départ de la course, il me confiait le rouleau de toile cirée et allait faire son jeu personnel dans lequel ses certitudes et bonnes affaires n'entraient pas, ou accidentellement. Il suivait des combinaisons obscures car il voyait le sport hippique sous l'angle froid des mathématiques, qu'il ne connaissait pas.

Nous courions en tous sens. Du poteau de départ au poteau d'arrivée ; comme les chevaux à qui nous disions des mots d'encouragement inutile. Ils allaient vivement vers le but avec les taches de couleur secouée des jockeys.

Dans un délire d'un court instant, au grand air, nous faisions des souhaits ardents. On ne prie pas si chaud dans les nefs d'églises.

Nous étions encore une troupe d'essoufflés puérils quand le numéro gagnant, qui n'était pas le nôtre, montait au tableau, une sorte de guillotine, et que nous nous refusions à comprendre le chiffre indiscutable en traits noirs sur le tableau blanc. Puérils encore dans les secondes suivantes, quand nous attendions une contestation, une réclamation qui ne venait pas. Mais au contraire, une sonnerie nous faisait mal qui annonçait la régularité des résultats.

Le rouge était mis.

Nous disions « Merde » ou « Nom de Dieu », d'une façon découragée. Monsieur Antoine disait « Fatalitas ».

L'angle des mathématiques est vraiment froid, qui nous faisait, le plus souvent, rentrer à pied raides et passer seulement devant le menu affiché du « prix-fixe ».

Nous nous enfermions au lit-cage pas large et dans les nudités que nous allongions — la sienne rousse de quarante-cinq ans, la mienne blanche d'adolescent — il y avait deux estomacs légers de mangeaille et deux imaginations pleines d'elle.

L'odeur des pieds était là qui n'arrangeait rien.

Et parce que l'on avait plaisanté et ri de cette image populaire : « Manger avec les chevaux de bois. » Et parce que nous l'avions trouvée topique, j'allais dans un rêve toujours pareil d'un manège de chevaux de bois amorphique et blanc qui dansent, en sens contraire, à l'entour d'un cheval de viande sombre et aveugle, qui s'est fait la tête allongée de Monsieur Antoine.

Et c'est pourtant encore Monsieur Antoine, nu, qui tend des poignées d'avoine vide et creuse aux bêtes fières.

Les chevaux se cabrent, montrent les dents, repoussent l'avoine et elle s'envole en flocons et elle eût si bien convenu à leurs estomacs cylindriques.

La musique est piquante.

Du commencement à la fin de ce repas, Monsieur Antoine reste bouche bée.

Le matin, on ramenait la couverture gisante pour faire la grasse matinée.

Il préparait le travail.

On se levait, on se lavait.

Crachage de pituite.

Mais plus de chansons, plus d'aubades. Il n'y avait personne à séduire dans les chambres contiguës.

XXIII

Il m'a entraîné dans ses ivresses immenses, au vin blanc.

Le Pernod n'était plus qu'un souvenir dans la tête. Avant la guerre, on l'arrosait, goutte à goutte, au travers d'un morceau de sucre posé sur une petite cuiller pointue et perforée.

Je suis, entre parenthèses, de cette génération française qui a encore du Pernod dans les veines par hérédité.

Chez Antoine, le vin blanc était la cause de réminiscences de guerre, de renvois aigres qui incommodaient tout le monde. Ses années de lancier belge, il les relatait sur le mode subversif. Tout le monde avait des rires qui s'arrêtaient. Des rires assis jaunement sur deux chaises et qui finissaient le cul par terre.

J'étais mal à l'aise.

— Mettez de l'eau dans votre vin, lui conseillais-je.

L'alcoolique avait des fureurs cycloniques et le patron se voyait forcé de nous mettre hors de son débit, malgré le libéralisme traditionnel qui règne en ces lieux.

Cela démontre que Monsieur Antoine sortait des limites de la conversation décente.

Un de ces soirs, nous nous promenions en paire d'amis sur les boulevards extérieurs. Du côté de la Villette. Les femmes, l'une après l'autre, nous accostaient et nous donnaient des idées qui faisaient boule de neige.

Elles en promettaient des joies pour dix francs.

— C'est ça qui sera bon.

Elles parlaient aux passants ainsi qu'on le fait aux bébés capricieux qui ne veulent pas manger la bonne soupe : la sousoupe.

Celles qui disaient qu'elles nous suceraient avaient, comme les autres, un regard orgiaque, mais, en plus, un mouvement des lèvres pour avaler déjà dans l'orifice de la bouche.

J'ai refusé et Monsieur Antoine a suivi mon exemple jusqu'au « Fort Monjol », un centre qui exerçait une attraction sur les mâles du quartier. On y accédait par un escalier de pierre, coupé de paliers où avaient lieu les marchandages avec les marchandes d'amour.

Vous pouvez toujours courir. L'endroit n'existe plus. De l'escalier, il ne reste qu'un bout et il est déserté. Le seul bec de gaz rouillé ne fonctionne plus. Les hôtels ont été renversés et sur le vaste terre-plein ont grandi des maisons pour familles nombreuses.

Après quelques coups nouveaux qui abattirent nos hésitations, nos scrupules de fraîcheur douteuse, nous sommes convenus d'y aller.

— Alors, on y va ?

— Allons-y !

Deux grosses radeuses, pleines de formes, attendaient le client. C'était notre affaire. Des radeuses en jupes courtes, noires et plissées.

On s'est finalement accordé sur un prix doux. Pas cher.

L'amour qu'on fait ne vaut jamais cher.

C'est l'amour qui pour cent sous de plus enlève sa chemise.

Il y a aussi l'amour qu'on dit et qui n'existe pas.

Pour pénétrer dans l'hôtel, il fallut déranger un homme qui urinait contre la porte et qui voulait finir. Il s'en alla en boutonnant sa brayette et en proférant des insultes.

Tout à fait dans la note.

La chambre n'était pas grande, elle était petite. D'abord, pour nous faire rire et nous mettre l'eau à la bouche, une des deux femmes, la plus courte, troussa jupe et chemise et pissa debout, en une coulée, dans le vase de nuit d'émail qui se trouvait entre ses pieds.

Ensuite elles nous gagnèrent quarante sous à un jeu qui consistait, pour notre part, à poser des pièces de monnaie sur les deux coins de la table de toilette, pour la leur, à les faire disparaître prestement sous le pli du ventre.

— Par succion, m'expliqua papa Antoine qui n'était pas un enfant. Tu comprends ?

— Oui, je comprends.

La plus courte se fatiguait car elle atteignait péniblement la hauteur de la table. La ni courte ni longue, aurait joué toute la nuit.

Après ces amusettes, elles s'étendirent sur le lit, dans le sens de la largeur, pieds au sol et mains jointes derrière le chignon lourd.

Les deux vieilles anonymes s'offraient.

Immobiles, jambes écartées, ventres à l'air.

L'Antoine commença le va-et-vient, sur la courte et l'autre, dans un sourire à la vinasse, me dit :

— Excite-toi là-dessus, mon petit.

En désignant de l'index son sexe gros, poilu et béant largement.

C'est là que mon argent était parti.

Mes pensées allaient de cette énorme tirelire au gentil oiseau perdu de la petite Germaine.

Et parce que je ne me décidais pas, la prostituée me dit :

— Mais vas-y donc !

Elle paraissait mécontente.

Je m'inclinai.

Elle m'engloutit.

Médème n'étouffait pas ses soupirs et scandait la mesure du talon sur le plancher. Il se tordit, cria et se redressa. Puis, il remonta son pantalon et son caleçon qui étaient en accordéon sur ses chaussures.

C'était fini.

J'ai imité la petite agonie, pour la première fois de la vie, avec coups de pieds dans l'air, meuglements sauvages, yeux vitreux et tremblements des membres.

XXIV

Le jour de sa mort était pluvieux.

Monsieur Antoine s'ébattait de même que tous les jours.

« ...je vous ai donné hier un gagnant... »

Il mentait de même que tous les jours.

J'étais le public.

Les bons amis ne venaient pas.

Car il pleuvait comme vache qui pisse et l'on n'aurait pas mis un chien dehors.

Il a dit, au moins cent fois : « Vache de temps ! » et : « Temps de chien ! » parce que la vache du temps lui pissait sur la figure et que le chien le mordillait partout.

L'eau et le vent entraient par le cou et les trous des semelles. Comme dans un moulin.

La casquette sportive voulait s'en aller.

La toile cirée ne restait pas tranquille, malgré les quatre pierres.

L'assistance n'augmentait pas et quand il crachait, il crachait sur lui-même.

En voulant plaquer, d'un coup sec, la casquette agitée sur son crâne, il se fit du mal.

« Saloperie de merde de nom de dieu de temps. »

Il ne pouvait plus trouver mieux et il était déjà un peu hors de lui.

Mais il n'avait pas atteint le paroxysme, c'est-à-dire le bout de son rouleau.

« ... la bonne affaire, j'la vends un franc, vingt sous. »

Il l'aurait donnée.

La casquette est partie en compagnie d'une rafale.

La toile cirée se convulsa.

Pour l'aplatir, Monsieur Antoine s'est baissé et les deux petits boutons noirs — les boutons de derrière — ont sauté ensemble.

Alors, il a dit quelque grossièreté et levé au ciel ses grands bras, qu'il dut aussitôt abaisser pour retenir la culotte de cheval.

Et, à toutes jambes, il s'encourut.

J'ai crié : « Après la pluie, le beau temps, m'sieu Antoine. »

Il était loin.

Dans les nuages, apparut une trouée bleue. Une éclaircie qu'il ne vit pas.

On a repêché son corps dégouttant et boursouflé au barrage, entre Suresnes et Puteaux.

À Suresnes nous avions parfois mangé des moules et

des frites et bu du vin rosé. En bras de chemises, sous des tonnelles.

Ce jour, celui de sa mort, n'avait pas été de beaucoup plus mauvais qu'un autre. Et, il en avait vu bien d'autres.

Un jour de trop, probablement.

Au revoir, Médème !

XXV

Ma dernière chance, je l'ai mise sur un cheval fatigué, qui portait un lourd nom mythologique.

Après avoir, par distraction, raté son départ, il a traîné sur tout le parcours, buté sur les plus basses haies pour, finalement, tomber dans la rivière du Huit.

Avec ma chance.

Rares sont les chevaux qui culbutent à cet obstacle ; les chutes émouvantes étant, généralement, réservées aux habitués du pesage qui ont, eux la rivière des Tribunes, large et périlleuse.

Le tracé d'un hippodrome est clair, net.

Les pistes brunes coupent le vert du gazon et font des entrelacs bordés de barrières blanches.

Brun, vert, blanc : c'est ce que voit l'oiseau qui vole.

On peut dire que le pesage est le jour et la pelouse la nuit.

On peut tout dire.

En plus de cette dissemblance, le prix d'entrée est tout autre.

Au pesage, sous les oriflammes et parmi les géraniums et les femmes élégantes qui sont aussi des géraniums, les gens de la haute vie du *hiche-life* acclament discrètement le brillant vainqueur de la grande épreuve, qui est un coursier racé aux pattes fines et qui laisse un crottin charmant.

À la pelouse, on hurle...

Et c'est pourquoi, là, comme ailleurs, il y a deux enceintes, parfois trois.

Dans l'une, la plus vaste, on fourre les torchons.

Dans l'autre, la plus belle, se placent les serviettes.

Dans la troisième, dont le tarif est moyen et qui s'appelle le Pavillon, vont ceux qui ne savent pas ce qu'ils sont. Qui sont légion.

Personne ne se charge de la répartition des torchons et des serviettes.

« ... tant de torchons... tant de serviettes... »

Ainsi, qu'en famille, se compte le linge sale. Mais non.

Personne non plus ne demande à personne :

« Qu'est-ce que tu veux être ? Torchon ou serviette ? »

Il n'y a pas d'bon dieu.

Et fouiller la question entre moi et moi : « Que suis-je ? » cela ne la tranche pas.

Tout au plus arrive-t-il que des grands, malicieux, interrogent un enfant, dans le seul dessein de rigoler un peu et de faire passer le temps qui, autrement, passerait aussi bien. Ou aussi mal.

C'est donc par plaisanterie que, jadis, l'on me questionnait, parce que l'on savait que j'avais une bonne blague toute prête.

— Qu'est-ce que tu veux être plus tard, Riri ?... Cuirassier ?... Général ?

— Vidangeur, répondais-je.

Une blague qui n'est pas merdeuse, n'est jamais une bonne blague.

L'odeur était là et la couleur.

Ils en voyaient des tonnes et des tonnes et riaient tous en croquant à belles dents la friandise.

Hou ! Hou ! Ils étouffaient...

— ... mais pourquoi donc veux-tu être vidangeur, mon petit Riri ?

— Parce que cela porte bonheur, messieurs dames.

Les Messieudames posent ces questions car elles sont innocentes et sans conséquence. Du moins le croit-on.

*

Il existe une quatrième catégorie de joueurs et je m'y suis mêlé. Celle des vieux types et typesses qui se sont usés dans la vie à essuyer trop de revers et qui, hors du champ, se cotisent, comme des gamins.

J'ai joué avec trois vieilles dames. C'est bien difficile de jouer avec les vieilles dames.

On mettait vingt-cinq sous chacun après des discussions qui paraissaient bénignes comparées à celles qui suivaient l'annonce du résultat faite de l'intérieur par notre émissaire, la plus jeune des trois vieilles qui était très âgée.

Il arrivait fréquemment, dans les groupes voisins, que le chargé d'affaires, peu scrupuleux, répartît les mises à lui confiées sur des numéros de son choix et qu'il prît la fuite pour couvrir son indélicatesse.

Chez nous, cela ne se faisait pas. Si l'humeur des vieilles dames était tracassière, leur honnêteté était au-dessus du soupçon.

Pour jouer avec elles, je vendis les objets personnels du suicidé. Ses vêtements étaient trop grands pour moi. Je n'avais pas son envergure.

Lorsqu'il n'en resta — Fatalitas ! — plus, j'eus encore une idée à fleurs :

« Quand on a ses deux bras et du cœur à l'ouvrage, on peut toujours manger. »

Une idée à revoir.

J'ai été chercher le travail qu'on rencontrait alors dans tous les coins. Notre pauvre France vivait des jours de prospérité.

Au fond d'un faubourg, près de la Seine, j'ai lu les ardoises accrochées...

« On demande... »

La fabrique de cirage « Kibrill » demandait. Je suis entré pour voir si l'on ne voulait pas d'un petit apprenti désireux de participer à la symphonie du Travail.

XXVI

Je fus dirigé sur l'atelier des boîtes où je reçus un chiffon imbibé d'huile accompagné d'instructions simples.

Il fallait graisser des tas de plaques de tôle. La phase de fabrication suivante était celle de l'emboutissage.

À sept heures du matin, la sirène chantait trois fois et nous accourions. Roues, tours, volants, bielles, fraiseuses, courroies, perceuses se mettaient en branle, sous la verrière.

Nous aussi.

Pendant huit heures et souvent plus.

Si je n'avais été préoccupé d'empiler les plaques de tôle dans le but assez mesquin, je le confesse, d'accroître mon salaire, j'aurais peut-être été touché par la poésie de la machine qui devait circuler dans les ateliers, en larges effluves.

J'aurais peut-être surpris l'amour paresseux, sourd, profond, rythmé et qui ne finit pas du piston d'acier gris luisant et du cylindre huileux.

Mais, je n'étais qu'un jeune homme bête et ne vis

rien de ces interpénétrations monstrueuses, et tellement intéressantes, et tellement érotiques.

Je travaillais aux pièces.

Pour moi, les bielles n'étaient pas du tout phalliques.

*

On s'était occupé de moi.

« Debout ! Assis ! Couché ! » m'avait-on dit.

Pas difficile. J'ai fait de sincères efforts de compréhension et rapidement, et pas plus mal qu'un autre, je saluai et dis merci gentiment pour chaque coup de pied aux fesses que l'on voulut bien m'envoyer.

« Trop aimable, monsieur le contremaître. »

Parce qu'il cherchait des poux dans ma tête, je me mis à lui lécher le derrière et les bottes. Pour le derrière, dans la mauvaise signification du terme.

Il accepta l'apéro sans manières.

— On est obligé d'être vache, me confia-t-il.

Et il l'était, énormément.

En plus du léchage de bottes, j'ai appris à mordre en douce. Un bon coup de dent à la dérobée et l'œil restant candide.

Quant à ma conscience, elle était devenue totalement aphone.

J'étais dans le chemin des pauvres.

« Poussez pas et suivez la foule. »

Le patron, bedonnant et disert, n'était pas sans ressemblance avec le soleil qui éclatait de rire et rayonnait sur le couvercle de ses boîtes.

Kibrill, marque déposée.

Il lui plaisait, en blouse immaculée et très blanche, de converser avec la main-d'œuvre.

Aux poilus, il rappelait dans une langue martiale qu'ils s'étaient fait casser la gueule ensemble. « Là-bas », disait-il avec un geste vague et sans plus préciser.

Un mot aimable pour chacun.

Le bon patron s'est, une fois, arrêté derrière moi.

— Eh bien, mon vieux..., fit-il en m'administrant une tape dans le dos.

En rougissant, j'ai répondu : « Oui, Monsieur le Directeur... »

Un monsieur pas fier. Et philanthrope avec cela. Les murs de l'usine étaient recouverts de placards et d'affiches :

« L'alcool tue, l'alcool rend fou. »

« La santé, comme la fortune, vient en dormant la fenêtre ouverte. »

Il s'occupait de notre alimentation ; à cet effet un coin des bâtiments avait été aménagé en épicerie et dénommé assez originalement « la coopérative ».

Quand il reçut une légion d'honneur, nous lui avons offert un bronze d'art. Tous ensemble.

Il nous remercia d'un discours, dans lequel il nous

a appelés ses enfants, puis ses collaborateurs. Il nous a parlé de la Patrie et du Cirage. Il nous a fait voir la coquette maison de campagne et les choux que l'on plante autour, qui viennent récompenser le labeur fécond du travailleur.

Du travailleur honnête, pas gréviste, pas bolchevik. Celui qui fait beaucoup d'enfants.

La péroraison fut parfaitement réussie :

« Elle est au bout de votre route rude, mais honorable. »

Il parlait bien.

Nous nous sentîmes vivement troublés et lui avons répondu par un : « Vive le Patron ! » qui sortait du cœur.

— C'est un jour qui compte, me dit le contremaître. Le même qui se croyait toujours obligé d'être vache.

*

Le samedi, nous recevions une enveloppe et l'on nous disait que le contenu représentait le produit de notre travail.

Nous nous retrouvions, entre amis, « Au rendez-vous des bons amis ». Vins et liqueurs, casse-croûte à toute heure. Chez le père Jules.

Plaisamment nous l'appelions Julot, sans oublier le respect dû à un estimable commerçant.

Le cordon du tablier bleu qui enserrait son corps par

le milieu lui faisait deux ventres et le rendait doublement digne de notre considération.

Encore un bon type.

Il aimait l'ouvrier.

— C'est ma tournée, les copains !

Gentilles paroles qui venaient avec des bouffées d'air montagnard. Il roulait ses r depuis un bourg sec, écrasé et noirâtre du Massif central, jusqu'en cette banlieue parisienne.

Son comptoir se trouvait à deux pas de l'usine. Chez lui, nous pouvions manger, boire et dormir, car il louait des cabinets meublés à la semaine.

Julot prenait aussi les paris aux courses.

Le samedi c'était la grande cuite ; le dimanche on cuvait son vin et le lundi on retournait au cirage. Entre la fabrique et le père Jules, du long trou de la semaine au trou du dimanche, c'était un cycle bien complet dont on ne sortait pas.

À cet Auvergnat trapu, nous remettions notre paie, intégralement. Il lui déplaisait que les clients allassent trop souvent se soûler chez la concurrence.

— Ma marchandise vaut la leur, disait-il toujours un peu fâché et en brandissant une de ses bouteilles et en la claquant de la main.

Et il avait raison.

XXVII

On croyait que j'avais le gosier en pente parce que je versais grands et petits verres dans mes joues maigres.

L'alcool me rendait effectivement fou ; prolixe en plus et combatif.

À dix-neuf ans, j'ai retrouvé mon babil de petit garçon : « Vive la Sociale ! » et « Mort aux vaches ! »

Je buvais sec, en vrai Vertebranche.

Les glaces écaillées me renvoyaient des images affligeantes sous ces deux inscriptions au blanc d'Espagne :

PLAT DU JOUR
CIDRE DOUX

et leurs fioritures.

J'étais pris dans le jeu de glace de face, de profil, de dos.

Ma tête me regardait éplorée et craquelée.

Elle était dans tous les coins, avec ses lunettes de myope.

Je la dodelinais : « Pas d'chance ! » lui faisais-je.

Elle se dodelinait : « Pas d'chance ! » réfléchissait-elle.

Nous nous apitoyions sur ma mauvaise mine, mon long nez, mon œil mou, mes épaules étriquées, mon anémie et mon souci d'élégance quand même.

Mes possibilités d'absorption n'étaient pas extraordinaires.

Aussi avais-je continuellement mal au cœur.

Au fond de la cour et à droite.

*

Là, les lieux d'aisances étaient à la turque. Un as de pique décorait la porte ; un as de pique tout pareil à celui de notre rideau de fer au temps — l'bon temps — où, nous aussi avions pignon sur rue.

Les pieds dans l'urine, je rendais la marchandise acidulée du père Jules et celle, de qualité inférieure, de madame Julot.

Je rendais tout dans le trou obstrué.

C'est en ce petit endroit, en ces ouatters, en ces lieux d'aisance turque que se fit l'énorme dégueulade du dix-huitième chapitre.

Tirons l'eau !

*

J'agitais l'étendard de la révolte dans la salle du café.

Julot, qui eût préféré des propos apolitiques, faisait une de ses têtes. La mauvaise.

Après s'être commercialement contenu, il éclatait dans la discussion.

— Et s'il n'y avait plus de patrons, qui est-ce qui vous ferait travailler ? Hein, dites-le donc, beau malin ?

Je lui répondais avec cynisme.

Nous nous injections les yeux de sang et nous les faisions sortir des orbites.

— Des patrons, il en faut, vous entendez ! Il y en a toujours eu et il y en aura toujours...

Je ripostais — on a des opinions ou on en a pas — que sa Société était pourrie et il m'objectait que sa Société valait la mienne.

— Ce sont encore des idées de « vos » bolcheviks.

— « Mes » bolcheviks ! Ah, mais pardon, monsieur Jules...

Il ne m'écoutait plus.

C'était la crise.

Julot avait eu des déboires avec les emprunts russes. Des titres il en avait, disait-il, assez pour tapisser toute la salle et se torcher jusqu'à la mort.

Pour Dieu ! Pour le Tzar ! Pour la Russie !

On voyait qu'il se faisait mal à remuer ainsi le fer dans la plaie d'argent. Nous nous accordions tous pour verser sur elle le baume de quelques tournées.

Le père Jules s'entêtait encore un peu.

— Le communisme, c'est le plus grand ennemi de la France.

Rien que des derniers mots.

Et puis, il affirmait que cela me passerait avant que cela le reprenne. On pouvait s'entendre là-dessus. Pour en finir sur ce terrain glissant, nous évoquions Michel Strogoff, filant en troïka sur la grande steppe glacée.

Le lendemain, je dissipais les derniers malentendus en lui remettant un pari doublé et en m'acharnant sur les appareils à gros sous.

C'est bête de se brouiller pour de la politique.

XXVIII

À la fin des semaines, nous avions des soirs paisibles et verdâtres, sous le gaz de la suspension, dans l'arrière-salle.

Jeanne, la fille de salle, une femme du Nord rose et du genre dormeuse, faisait les couverts en vidant son sac dans lequel elle mettait tous les hommes depuis qu'un mari brutal l'avait abandonnée, après l'avoir battue.

Julot écrivait le menu du lendemain sous la dictée de madame Julot, qui dans la cuisine, grattait des fonds de casseroles au moyen desquels elle confectionnait des petits plats soignés.

— Demain j'aurai du hachis Parmentier. Vous aimez ça, hein ?

Je l'avouais.

Le lendemain, en plein coup de feu, elle faisait sortir sa face cuite par le guichet de la porte de la cuisine.

— Dites donc, m'sieu Henri, aujourd'hui j'ai du hachis Parmentier.

Tous les jours, elle avait son hachis Parmentier.

J'étais un peu l'enfant de la maison.

Nous tirions la soirée en longueur. Madame Jules déficelait son bas noir pour nous faire examiner ses ulcères variqueux ou varices ulcéreuses ; il ne m'en souvient plus. Elle voulait savoir ce que nous en pensions réellement.

Elle ne se gênait pas pour mettre sur le beau milieu de la table ses selles, dont elle n'était jamais pleinement satisfaite.

Ou son gros foie, ou toute autre partie de son corps qu'elle croyait atteinte par la maladie.

Il y avait aussi ses gaz et ses malaises au cœur, qu'elle voulait strictement personnels.

Elle s'écoutait, madame Jules.

Vers dix heures, on se couchait.

Sur le lit humide de la chambre froide, je cherchais l'amour au travers de mes cartes transparentes, à la flamme de la bougie. C'était une bonne documentation : les trente-deux positions ou les trente-deux manières de s'aimer.

L'onanisme est un plaisir vraiment gratuit. Le vrai plaisir des solitaires et des pauvres.

J'appelais dans mes draps sales.

Que j'aie occupé le cabinet numéro 13 et fatidique, je n'en serais pas autrement surpris.

De bonne heure, quand elle n'est pas bonne, il fallait se décoller les yeux pour entrer dans la gueule du loup du commencement d'un jour.

La démarche était raide et maladroite dans les vêtements pleins d'une froidure pour engelures. Le chaud se trouvait dans les poches, au pli des cuisses.

L'amertume du café noir venait remplacer dans la bouche celle de la nuit. Là-dessus, une rincette en feu de rhum.

À vingt ans vrais, — je le crois — on a une bouche tiède de petit pigeon.

— Au boulot ! s'écriait gaiement le père Jules.

*

Maman venait quelquefois me voir pour m'apporter du linge, un peu d'argent, beaucoup de plaintes.

Elle me disait que la vie avec mon père était comme un cauchemar.

Elle faisait des ménages pour nourrir cette parfaite nullité et ses mains commençaient à se déformer.

Quoiqu'elle me répétât, dans sa langue, que la dernière bouchée de pain, on la partagerait, je m'obstinais, dans la même langue, à ne pas vouloir rentrer au bercail.

Je devais avoir du caractère.

Ma pauvre maman me donnait des recommandations qui étaient le bénéfice de son expérience.

Je ne devais manger que peu de riz qui constipe — les pruneaux cuits au contraire — et peu de fraises qui amènent l'urticaire et pas du tout de moules dans les mois sans « r ».

Mais du pain toujours, beaucoup de pain.

Les haricots donnent des vents.

Les carottes donnent de la mémoire.

Et un beau teint.

Le poivre donne de bonnes blagues.

L'asperge parfume l'urine.

Il fallait que je n'ignore pas que le poireau, l'asperge du pauvre, agit aussi sur le rein et que je mette du beurre dans mes épinards et que je m'enfonce bien tout cela dans la tête.

— Tu dois te purger, me conseillait-elle quand ma langue lui paraissait chargée. Et tu demanderas à madame Jules qu'elle te fasse un bon petit bouillon de légumes dont tu ne boiras que le jus... N'est-ce pas, madame Jules, que vous lui ferez un bon petit bouillon de légumes ?

Madame Jules acceptait la recette.

— Vous prenez une demi-botte de poireaux, une livre de carottes et quelques pommes de terre...

Elle était très offensée qu'on la crût incapable de faire un bon petit bouillon de légumes, mais n'en laissait rien voir car ma mère lui faisait toujours un tour de cartes et s'en allait.

Je l'accompagnais jusqu'au tramway, comme lorsqu'elle venait me voir, le dimanche, chez Madame Slache.

Elle parlait encore :

— Rentre, me disait-elle, la température se rafraîchit.

À tout prix.

— Couvre-toi bien, ne prends pas froid.

À bas prix.

XXIX

Depuis le couchage du « Fort Monjol », j'avais eu quelques lourdes femmes de maisons closes sur les genoux. Je les avais touchées avec des mains gênées et disais que je savais ce que c'est que les femmes.

Juliette était, comme moi, dans le cirage ; elle avait seize années de drôle de jeunesse et bien tassée.

C'était pour une malade.

Elle était entrée dans le monde au bout d'un forceps, ma petite amie ; son front — front bas — en portait la trace, dans le coin, à la naissance des cheveux — cheveux rares et pelliculeux — qu'elle coiffait à la chien.

— Je sais bien que je suis moche, disait-elle.

Dans les larmes de l'œil droit de Juliette, nageotait une taie blanche.

Oui, elle était moche.

Moisie, grise. Du gris dont on fait la boue. De la boue dont on fait les gris.

Je l'appelais pourtant mon bel ange blond, car je n'avais pas de pauvreté dans la bouche.

Juliette était chargée de balader Mimile, son jeune

frère. Les poumons secs de ce petit aux grandes oreilles molles avaient besoin d'air. Il était rachitique.

Il crachait déjà sérieusement, en se grattant la gorge, comme le font les vieux hommes.

Les samedis anglais, je mettais mon costume du dimanche. Juliette avait sa robette à fleurettes imprimées sur fond sombre. Mimile avait aussi une petite robe.

Trio.

Nous longions le fleuve vert et froid.

Les péniches, les chalands, enfoncés dans l'eau, s'en allaient, remorqués lentement, vers une fin de voyage.

Je faisais le récit de la mort d'Antoine. Je disais comment, après le plongeon et le plouf, il avait filé entre deux eaux, jusqu'à l'écluse.

— Quel malheur, disait Juliette avec une indifférence sincère.

Elle manquait d'intérêt. Elle était absente ou pas encore arrivée.

Mimile pendouillait à son bras et trottinait bêtement, en se plaignant à voix basse.

Il avait mal aux pieds, lui.

Juliette essayait de faire comprendre à ce petit idiot qu'il était emmerdant.

Petit idiot larmoyait.

— Pleure, tu pisseras moins, lui disait sa sœur, fatiguée et de ses larmes et de ses pipis.

Vers le bout du jour on rentrait par les rues droites d'usines, où il ne passe personne. Du soleil restait accroché à des morceaux d'affiches. C'était l'été et, dans le plein été, le soleil venait jusque-là.

Les pissenlits jaunes se dressaient vaniteusement, comme les fleurs.

Des chats rampaient verticalement sur les palissades, et griffaient. Derrière, ils avaient une vie sauvage dans la douceur des terrains vagues.

Les terrains vagues avec des vagues de chiffons sales, de fers rouillés, de sanies.

On se collait des questions d'amour.

— Tu m'aimes dis ?

— Oui, je t'aime !

On avait des petits désirs, dans l'arrière-boutique de nos pensées.

— Embrasse-moi.

Je serrais très fort Juliette, ma bien-aimée, entre mes bras. Son corps et le mien donnaient une odeur de sueur et de pisse séchées dans les linges.

Mimile, en attendant, s'asseyait sur le bord du trottoir et suçait pensivement une canule d'injecteur en guise de sucre d'orge et trempait ses pieds gonflés dans l'eau courante du ruisseau.

Je baisais la tête désespérante.

Juliette avait pris l'habitude de fouiller dans la poche du milieu pour y trouver ce qu'elle savait bien.

Et, un beau soir, je l'ai bousculée sur la pierre de la rue.

Elle était toute consentante.

L'enfant interrompit son jeu, puis il se mit à pleurnicher parce que sa grande sœur gémissait.

XXX

Entre les sourcils, elle avait un triangle de soucis.

— Ça ne va pas ?

Non, ça n'allait pas.

J'allais tout savoir : depuis trois mois elle n'avait pas eu ses affaires.

Ses affaires !

Quelles affaires ?

— Mes règles, quoi !

Et volubile : « Je pouvais croire qu'elle avait fait tout ce qui est humainement possible. Trois fois, elle s'était purgée avec de l'eau-de-vie allemande — ses intestins en étaient encore douloureux. Elle descendait les escaliers quatre à quatre, suivant ainsi les indications de la contremaîtresse, une femme qui connaissait la vie et en qui on pouvait avoir confiance. Tous les soirs, elle s'appliquait des sinapismes sur l'abdomen, à l'emplacement des ovaires. Quinine, injections, pilules d'un pharmacien complice... Résultat : un caillot de sang, gros comme ça ! »

« ... Tu te rends compte ? »

Il fallait immédiatement faire quelque chose.

— Mon père me mettrait à la porte.

Petite révolte, puis résignée :

— C'est tout de même mon père.

Évidemment.

— Je le sens remuer en moi.

Il fallait faire quelque chose.

*

J'ai eu recours à la solidarité phraseuse de ma mère.

Elle m'a rendu le petit service.

L'opération se fit dans mon lit.

Juliette a crié comme une bonne.

C'était bien la chambre 13.

On a lavé les serviettes ensanglantées et fait un paquet du tout petit fœtus, dans un journal.

Je l'ai porté et poussé dans la bouche d'un égout.

Premier bébé rose et joufflu.

Et allez hop !

— À l'avenir sois plus prudent, mon petit gars, me dit ma mère.

*

Nous voulions faire la grève. Le patron l'apprit, en descendant de sa grande auto, de la bouche de l'adjudant de pointeau. Sans prendre le temps d'enfiler la belle blouse, il a fait irruption dans l'atelier.

— J'entends, s'écria-t-il en frappant du pied, qu'il y a ici de mauvais esprits !

Il était choqué comme on l'est quand quelqu'un s'oublie en société.

Amer, il continua :

— Puisque c'est ainsi que l'on récompense ma bonté, je sévirai.

(On est obligé d'être vache.)

Les contremaîtres dressèrent des listes d'éléments douteux.

J'en fus.

Julot me dit, froidement, qu'il me l'avait bien dit. Juliette me donna la fausse impression de se vider jusqu'à la dernière larme.

Je quittai la banlieue.

Il est bien vrai et cruel le dicton qu'elle me rappela.

« Loin des yeux, loin du cœur. »

XXXI

J'étais presque bien décidé à diriger mon activité vers les emplois de bureau ; occupation plus en harmonie, croyais-je un peu, avec mes aptitudes.

Le bureau de placement donnait, à profusion, des situations d'avenir aux jeunes gens sérieux, travailleurs, munis de références et dépourvus de prétentions et de connaissances spéciales.

Des connaissances spéciales — ça tombait bien — je n'en avais pas du tout.

J'ai été successivement clerc d'huissier, facturier, économe, représentant en épices, aide-chimiste, aide-comptable.

Ici et là.

Et, enfin, comptable dans une maison de confection pour dames et fillettes. Une vieille maison.

La patronne avait un grand fils qui me mêla à ses trafics malpropres et j'ai été, après peu, honteusement chassé de mon petit bureau vitré où j'avais pris des habitudes.

Mes grattages sur le livre de caisse devaient rester

impunis et la vieille dame exprima son dépit en se battant la poitrine qui était de nichons énormes et flasques.

Les portes du bureau de placement m'étaient, pour un temps, fermées.

Je ne faisais pas le poids d'un soldat.

J'ai mal tourné.

Il est inutile de demander :

— Pardon, le droit chemin, s. v. p. ?

Ou :

— Suis-je sur la pente fatale ?

Ou bien encore :

— Me trouvé-je sur le sentier tortueux du vice et de la turpitude qui m'éloigne de la coquette maison de campagne et des choux ?

Inutile, car il n'y a personne.

Je l'ai déjà dit.

On m'avait bien prévenu, mais c'était trop tôt, que j'étais du gibier de potence.

On m'avait bien dit, mais c'était trop tard, qu'on me l'avait bien dit.

Pour ma formation, on était allé jusqu'à dire, mais c'était maman :

« Si tu joues avec des allumettes, tu feras pipi au lit. »

Ce n'était pas vrai et, en tout cas, sans grande importance.

On avait parlé comme des femmes soûles, en prophéties faciles qui ne tiennent pas debout :

« Tu finiras sur l'échafaud », pour le garçon.

« Tu finiras sur le trottoir », pour la fille.

Par surcroît, on les effraie, les petites filles : « Si tu n'es pas sage, il viendra le marchand de viande et il t'emportera à Buenos Aires. »

Il y a aussi la légende du marchand de sable, pour petites filles plus petites.

*

J'allai du côté de Montmartre, dans les bars qui louchaient sur des rues d'hôtels.

Un nouveau milieu : le Milieu.

On m'y accepta quoique mes antécédents aient été jugés peu intéressants.

Je n'étais pas un personnage dangereux.

Les dames me tutoyaient et cette marque de confiance me rendait fier. Pour acheter les croissants qui étaient ma nourriture, je leur vendais des bas, des mouchoirs, des cravates, des chemises de soie pour les hommes.

Et pour un café-crème, je leur faisais les cartes et leur sortais le monsieur grisonnant et haut placé, qui était, là aussi, attendu.

Il m'était très difficile de joindre, journellement, les deux bouts de ma vie. Je m'efflanquais.

Pour avoir une gonzesse à moi, je n'étais pas assez costaud.

On m'appelait « binoclard » ou « le marchand de chemises ».

J'étais le confident. Elles me parlaient des bons jours de la guerre, quand de partout arrivaient des hommes chez elles, sur elles, dans elles... et payaient, et disparaissaient. Pour de bon. Des Anglais, des Américains. Des blancs, des noirs. Des vérolés et des pas vérolés.

Comme maman et comme moi, elles avaient mangé leur pain blanc pendant la guerre, les prostituées.

« Cul Pourri », une vieille copine, connaissait un autre bon temps. Celui des poisses à grandes renommées : le Beau Léon, le Grand Frisé, ceux qui étaient dans les chansons.

Des protecteurs taillés en armoire et derrière lesquels une femme pouvait s'abriter.

— Des hommes qui étaient des hommes, résumait Cul Pourri en remuant la friperie de sa bouche avec les lèvres à l'intérieur, ou sans lèvres.

Elle méprisait la nouvelle couche qui sortait de l'école buissonnière, des usines de munitions ou des régions envahies.

Cul Pourri, c'est un sobriquet ; Nana était son prénom.

Mon amie Nana travaillait dans la nuit du Bois de Boulogne, sur des chaises de fer et pour une bouchée de pain.

Elle avait une fille chez sa mère, à Nantes. L'éducation de Zézette coûtait cher. Leçons de violon pour Zézette... un nouveau chapeau pour Zézette... et pour Zézette, elle en mettait un coup.

La vieille en coiffe accusait réception des mandats.

— Il ne faut pas que ma fille sache que sa mère est une traînée, disait Cul Pourri en s'essuyant le nez.

On s'accordait tous dans le milieu pour dire que Cul Pourri se trouvait bien dans la lignée des putains au grand cœur.

XXXII

C'est ma jeunesse et je n'en ai pas d'autre.

J'ai fait de l'attaque nocturne.

À Passy.

À la papa.

J'ai suivi des femmes jeunes avec des espoirs insensés.

Je me suis approché des vieilles, à les toucher. Elles m'ont prospecté.

Elles m'ont donné de petites sommes et j'ai dit des injures à leur adresse, dans l'escalier.

Les grandes gourmandes m'ont baisé à une allure de charge.

À la hussarde.

Je faisais le cheval.

Elles m'ont fait voir leur petit oiseau, en pleine lumière.

Et allèrent jusqu'au bout.

— Lèche-le !

Je me soulevais le cœur. J'aurais voulu m'en aller vers l'honnêteté, avoir une bonne place. Mais je restais collé.

À la Charlot.

Quand les vieilles m'eurent vidé — il n'y avait sans doute pas grand-chose à sucer — et que j'eus jeté toute ma gourme, je m'en suis retourné au bureau de placement.

Sur l'air de « Quand on a ses deux bras... »

— Prenez la queue ! me dit un employé.

Il n'y avait plus beaucoup de situations d'avenir.

*

Tous les jours, j'ai fait le voyage long et inutile dans le train vert et rouge, métro de Paris. Vingt stations et deux changements. Dubo... Dubon... Dubonnet...

C'était réglé.

Comme les autres, lavé, peigné, torché, je suivis ma petite route immonde, sous la ville dans le convoi de huit heures et demie des vendeurs, vendeuses, comptables et dactylos dirigés sur les piles de madapolam et les additions du Grand Livre.

On respirait l'odeur des femmes et de leurs parfums fabriqués et pas chers.

On se nettoyait les dents avec un coin du ticket, ou les oreilles avec les doigts.

Les petites filles aux nuques sales lisaient des bouquins graisseux, des bouquins qui avaient circulé. Une bonne portion d'amour imprimé dans la moisissure des tunnels, loin de la famille aigre.

Les gros voyageurs activaient leurs ventres mous sur ces fesses maigriotes et attrapaient encore des érections terribles dans leurs caleçons de laine.

Les jeunes gens, mes collègues en viande fraîche pour guerre prochaine, s'envoyaient les colonnes de performances sportives de leurs journaux multicolores.

J'arrivais fatigué au bureau.

— J'espère, monsieur, que ce sera votre dernier retard.

. . . .

Le chômage et les cris dans la crise, ce n'est plus la belle lurette.

DU MÊME AUTEUR

Aux Éditions Gallimard

LA BELLE LURETTE, *roman.*

LE MÉRINOS, *roman.*

FIÈVRE DES POLDERS, *roman.*

LE BOUQUET, *roman.*

LE TOUT SUR LE TOUT, *Mémoires.*

L'ITALIE À LA PARESSEUSE, *récit.*

MONSIEUR PAUL, *roman.*

UN GRAND VOYAGE, *roman.*

LES DEUX BOUTS, *document.*

LES GRANDES LARGEURS, *récit.*

PEAU D'OURS, *notes.*

Axée sur les constructions de l'imagination, cette collection vous invite à découvrir les textes les plus originaux des littératures romanesques française et étrangères.

Volumes parus

149. Malcolm de Chazal : *Sens-plastique.*
150. William Golding : *Chris Martin.*
151. André Pieyre de Mandiargues : *Marbre ou Les mystères d'Italie.*
152. V.S. Naipaul : *Une maison pour Monsieur Biswas.*
153. Rabindranath Tagore : *Souvenirs d'enfance.*
154. Henri Calet : *Peau d'Ours.*
155. Joseph Roth : *La fuite sans fin.*
156. Marcel Jouhandeau : *Chronique d'une passion.*
157. Truman Capote : *Les domaines hantés.*
158. Franz Kafka : *Préparatifs de noce à la campagne.*
159. Daniel Boulanger : *La rose et le reflet.*
160. T.F. Powys : *Le bon vin de M. Weston.*
161. Junichirô Tanizaki : *Le goût des orties.*
162. *En mouchant la chandelle (Nouvelles chinoises des Ming).*
163. Cesare Pavese : *La lune et les feux*, précédé de *La plage.*
164. Henri Michaux : *Un barbare en Asie.*
165. René Daumal : *La Grande Beuverie.*
166. Hector Bianciotti : *L'amour n'est pas aimé.*
167. Elizabeth Bowen : *La maison à Paris.*
168. Marguerite Duras : *L'Amante anglaise.*
169. David Shahar : *Un voyage à Ur de Chaldée.*
170. Mircea Eliade : *Noces au paradis.*
171. Armand Robin : *Le temps qu'il fait.*
172. Ernst von Salomon : *La Ville.*
173. Jacques Audiberti : *Le maître de Milan.*
174. Shelby Foote : *L'enfant de la fièvre.*
175. Vladimir Nabokov : *Pnine.*

176. Georges Perros : *Papiers collés.*
177. Osamu Dazai : *Soleil couchant.*
178. William Golding : *Le Dieu scorpion.*
179. Pierre Klossowski : *Le Baphomet.*
180. A.C. Swinburne : *Lesbia Brandon.*
181. Henri Thomas : *Le promontoire.*
182. Jean Rhys : *Rive gauche.*
183. Joseph Roth : *Hôtel Savoy.*
184. Herman Melville : *Billy Budd, marin*, suivi de *Daniel Orme.*
185. Paul Morand : *Ouvert la nuit.*
186. James Hogg : *Confession du pécheur justifié.*
187. Claude Debussy : *Monsieur Croche* et autres écrits.
188. Jorge Luis Borges et Margarita Guerrero : *Le livre des êtres imaginaires.*
189. Ronald Firbank : *La Princesse artificielle*, suivi de *Mon piaf-feur noir.*
190. Manuel Puig : *Le plus beau tango du monde.*
191. Philippe Beaussant : *L'archéologue.*
192. Sylvia Plath : *La cloche de détresse.*
193. Violette Leduc : *L'asphyxie.*
194. Jacques Stephen Alexis : *Romancero aux étoiles*
195. Joseph Conrad : *Au bout du rouleau.*
196. William Goyen : *Précieuse porte.*
197. Edmond Jabès : *Le Livre des Questions*, I.
198. Joë Bousquet : *Lettres à Poisson d'Or.*
199. Eugène Dabit : *Petit-Louis.*
200. Franz Kafka : *Lettres à Milena.*
201. Pier Paolo Pasolini : *Le rêve d'une chose.*
202. Daniel Boulanger : *L'autre rive.*
203. Maurice Blanchot : *Le Très-Haut.*
204. Paul Bowles : *Après toi le déluge.*
205. Pierre Drieu la Rochelle : *Histoires déplaisantes.*
206. Vincent Van Gogh : *Lettres à son frère Théo.*
207. Thomas Bernhard : *Perturbation.*
208. Boris Pasternak : *Sauf-conduit.*
209. Giuseppe Bonaviri : *Le tailleur de la grand-rue.*
210. Jean-Loup Trassard : *Paroles de laine.*
211. Thomas Mann : *Lotte à Weimar.*
212. Pascal Quignard : *Les tablettes de buis d'Apronenia Avitia.*
213. Guillermo Cabrera Infante : *Trois tristes tigres.*

214. Edmond Jabès : *Le Livre des Questions*, II.
215. Georges Perec : *La disparition*.
216. Michel Chaillou : *Le sentiment géographique*.
217. Michel Leiris : *Le ruban au cou d'Olympia*.
218. Danilo Kiš : *Le cirque de famille*.
219. Princesse Marthe Bibesco : *Au bal avec Marcel Proust*.
220. Harry Mathews : *Conversions*.
221. Georges Perros : *Papiers collés*, II.
222. Daniel Boulanger : *Le chant du coq*.
223. David Shahar : *Le jour de la comtesse*.
224. Camilo José Cela : *La ruche*.
225. J.M.G. Le Clézio : *Le livre des fuites*.
226. Vassilis Vassilikos : *La plante*.
227. Philippe Sollers : *Drame*.
228. Guillaume Apollinaire : *Lettres à Lou*.
229. Hermann Broch : *Les somnambules*.
230. Raymond Roussel : *Locus Solus*.
231. John Dos Passos : *Milieu de siècle*.
232. Elio Vittorini : *Conversation en Sicile*.
233. Édouard Glissant : *Le quatrième siècle*.
234. Thomas De Quincey : *Les confessions d'un mangeur d'opium anglais* suivies de *Suspiria de profundis* et de *La malle-poste anglaise*.
235. Eugène Dabit : *Faubourgs de Paris*.
236. Halldor Laxness : *Le Paradis retrouvé*.
237. André Pieyre de Mandiargues : *Le Musée noir*.
238. Arthur Rimbaud : *Lettres de la vie littéraire d'Arthur Rimbaud*.
239. Henry David Thoreau : *Walden ou La vie dans les bois*.
240. Paul Morand : *L'homme pressé*.
241. Ivan Bounine : *Le calice de la vie*.
242. Henri Michaux : *Ecuador (Journal de voyage)*.
243. André Breton : *Les pas perdus*.
244. Florence Delay : *L'insuccès de la fête*.
245. Pierre Klossowski : *La vocation suspendue*.
246. William Faulkner : *Descends, Moïse*.
247. Frederick Rolfe : *Don Tarquinio*.
248. Roger Vailland : *Beau Masque*.
249. Elias Canetti : *Auto-da-fé*.
250. Daniel Boulanger : *Mémoire de la ville*.
251. Julian Gloag : *Le tabernacle*.

252. Edmond Jabès : *Le Livre des Ressemblances.*
253. J.M.G. Le Clézio : *La fièvre.*
254. Peter Matthiessen : *Le léopard des neiges.*
255. Marquise Colombi : *Un mariage en province.*
256. Alexandre Vialatte : *Les fruits du Congo.*
257. Marie Susini : *Je m'appelle Anna Livia.*
258. Georges Bataille : *Le bleu du ciel.*
259. Valery Larbaud : *Jaune bleu blanc.*
260. Michel Leiris : *Biffures* (*La règle du jeu*, I).
261. Michel Leiris : *Fourbis* (*La règle du jeu*, II).
262. Marcel Jouhandeau : *Le parricide imaginaire.*
263. Marguerite Duras : *India Song.*
264. Pierre Mac Orlan : *Le tueur n° 2.*
265. Marguerite Duras : *Le théâtre de l'Amante anglaise.*
266. Pierre Drieu la Rochelle : *Beloukia.*
267. Emmanuel Bove : *Le piège.*
268. Michel Butor : *Mobile. Étude pour une représentation des États-Unis.*
269. Henri Thomas : *John Perkins* suivi de *Un scrupule.*
270. Roger Caillois : *Le fleuve Alphée.*
271. J.M.G. Le Clézio : *La guerre.*
272. Maurice Blanchot : *Thomas l'Obscur.*
273. Robert Desnos : *Le vin est tiré...*
274. Michel Leiris : *Frêle bruit* (*La règle du jeu*, IV).
275. Michel Leiris : *Fibrilles* (*La règle du jeu*, III).
276. Raymond Queneau : *Odile.*
277. Pierre Mac Orlan : *Babet de Picardie.*
278. Jacques Borel : *L'Adoration.*
279. Francis Ponge : *Le savon.*
280. D.A.F. de Sade : *Histoire secrète d'Isabelle de Bavière, Reine de France.*
281. Pierre Drieu la Rochelle : *L'homme à cheval.*
282. Paul Morand : *Milady* suivi de *Monsieur Zéro.*
283. Maurice Blanchot : *Le dernier homme.*
284. Emmanuel Bove : *Départ dans la nuit* suivi de *Non-lieu.*
285. Marcel Proust : *Pastiches et mélanges.*
286. Bernard Noël : *Le château de Cène* suivi de *Le château de Hors. L'outrage aux mots. La pornographie.*
287. Pierre Jean Jouve : *Le monde désert.*
288. Maurice Blanchot : *Au moment voulu.*

289. André Hardellet : *Le seuil du jardin.*
290. André Pieyre de Mandiargues : *L'Anglais décrit dans le château fermé.*
291. Georges Bataille : *Histoire de l'œil.*
292. Henri Thomas : *Le précepteur.*
293. Georges Perec : *W ou le souvenir d'enfance.*
294. Marguerite Yourcenar : *Feux.*
295. Jacques Audiberti : *Dimanche m'attend.*
296. Paul Morand : *Fermé la nuit.*
297. Roland Dubillard : *Olga ma vache. Les Campements. Confessions d'un fumeur de tabac français.*
298. Valery Larbaud : *Amants, heureux amants...* précédé de *Beauté, mon beau souci...* suivi de *Mon plus secret conseil.*
299. Jacques Rivière : *Aimée.*
300. Maurice Blanchot : *Celui qui ne m'accompagnait pas.*
301. Léon-Paul Fargue : *Le piéton de Paris* suivi de *D'après Paris.*
302. Joë Bousquet : *Un amour couleur de thé.*
303. Raymond Queneau : *Les enfants du limon.*
304. Marcel Schwob : *Vies imaginaires.*
305. Guillaume Apollinaire : *Le flâneur des deux rives* suivi de *Contemporains pittoresques.*
306. Arthur Adamov : *Je... Ils...*
307. Antonin Artaud : *Nouveaux écrits de Rodez.*
308. Max Jacob : *Filibuth ou La montre en or.*
309. J.M.G. Le Clézio : *Le déluge.*
310. Pierre Drieu la Rochelle : *L'homme couvert de femmes.*
311. Salvador Dali : *Journal d'un génie.*
312. D.A.F. de Sade : *Justine ou les malheurs de la vertu.*
313. Paul Nizan : *Le cheval de Troie.*
314. Pierre Klossowski : *Un si funeste désir.*
315. Paul Morand : *Les écarts amoureux.*
316. Jean Giono : *Rondeur des jours (L'eau vive I).*
317. André Hardellet : *Lourdes, lentes...*
318. Georges Perros : *Papiers collés, III.*
319. Violette Leduc : *La folie en tête.*
320. Emmanuel Berl : *Sylvia.*
321. Marc Bernard : *Pareils à des enfants...*
322. Pierre Drieu la Rochelle : *Rêveuse bourgeoisie.*
323. Eugène Delacroix : *Lettres intimes.*
324. Raymond Roussel : *Comment j'ai écrit certains de mes livres.*

325. Paul Gadenne : *L'invitation chez les Stirl.*
326. J.M.G. Le Clézio : *Voyages de l'autre côté.*
327. Gaston Chaissac : *Hippobosque au Bocage.*
328. Roger Martin du Gard : *Confidence africaine.*
329. Henri Thomas : *Le parjure.*
330. Georges Limbour : *La pie voleuse.*
331. André Gide : *Journal des faux-monnayeurs.*
332. Jean Giono : *L'oiseau bagué (L'eau vive II).*
333. Arthur Rimbaud : *Correspondance (1888-1891).*
334. Louis-René Des Forêts : *Les mendiants.*
335. Joë Bousquet : *Traduit du silence.*
336. Pierre Klossowski : *Les lois de l'hospitalité.*
337. Michel Leiris : *Langage tangage ou Ce que les mots me disent.*
338. Pablo Picasso : *Le désir attrapé par la queue.*
339. Marc Bernard : *Au-delà de l'absence.*
340. Jean Giono : *Les terrasses de l'île d'Elbe.*
341. André Breton : *Perspective cavalière.*
342. Rachilde : *La Marquise de Sade.*
343. Marcel Arland : *Terres étrangères.*
344. Paul Morand : *Tendres stocks.*
345. Paul Léautaud : *Amours.*
346. Adrienne Monnier : *Les gazettes (1923-1945).*
347. Guillaume Apollinaire : *L'Arbre à soie et autres Échos du* Mercure de France *(1917-1918).*
348. Léon-Paul Fargue : *Déjeuners de soleil.*
349. Henri Calet : *Monsieur Paul.*
350. Max Jacob : *Le terrain Bouchaballe.*
351. Violette Leduc : *La Bâtarde.*
352. Pierre Drieu la Rochelle : *La comédie de Charleroi.*
353. André Hardellet : *Le parc des Archers* suivi de *Lady Long Solo.*
354. Alfred Jarry : *L'amour en visites.*
355. Jules Supervielle : *L'Arche de Noé.*
356. Victor Segalen : *Peintures.*
357. Marcel Jouhandeau : *Monsieur Godeau intime.*
358. Roger Nimier : *Les épées.*
359. Paul Léautaud : *Le petit ami.*
360. Paul Valéry : *Lettres à quelques-uns.*
361. Guillaume Apollinaire : *Tendre comme le souvenir.*
362. J.M.G. Le Clézio : *Les Géants.*
363. Jacques Audiberti : *Les jardins et les fleuves.*

364. Louise de Vilmorin : *Histoire d'aimer.*
365. Léon-Paul Fargue : *Dîner de lune.*
366. Maurice Sachs : *La chasse à courre.*
367. Jean Grenier : *Voir Naples.*
368. Valery Larbaud : *Aux couleurs de Rome.*
369. Marcel Schwob : *Cœur double.*
370. Aragon : *Les aventures de Télémaque.*
371. Jacques Stephen Alexis : *Les arbres musiciens.*
372. André Pieyre de Mandiargues : *Porte dévergondée.*
373. Philippe Soupault : *Le nègre.*
374. Philippe Soupault : *Les dernières nuits de Paris.*
375. Michel Leiris : *Mots sans mémoire.*
376. Daniel-Henry Kahnweiler : *Entretiens avec Francis Crémieux.*
377. Jules Supervielle : *Premiers pas de l'univers.*
378. Louise de Vilmorin : *La lettre dans un taxi.*
379. Henri Michaux : *Passages.*
380. Georges Bataille : *Le Coupable* suivi de *L'Alleluiah.*
381. Aragon : *Théâtre/Roman.*
382. Paul Morand : *Tais-toi.*
383. Raymond Guérin : *La tête vide.*
384. Jean Grenier : *Inspirations méditerranéennes.*
385. Jean Tardieu : *On vient chercher Monsieur Jean.*
386. Jules Renard : *L'œil clair.*
387. Marcel Jouhandeau : *La jeunesse de Théophile.*
388. Eugène Dabit : *Villa Oasis ou Les faux bourgeois.*
389. André Beucler : *La ville anonyme.*
390. Léon-Paul Fargue : *Refuges.*
391. J.M.G. Le Clézio : *Terra Amata.*
393. Jean Giraudoux : *Les contes d'un matin.*
394. J.M.G. Le Clézio : *L'inconnu sur la terre.*
395. Jean Paulhan : *Les causes célèbres.*
396. André Pieyre de Mandiargues : *La motocyclette.*
397. Louis Guilloux : *Labyrinthe.*
398. Jean Giono : *Cœurs, passions, caractères.*
399. Pablo Picasso : *Les quatre petites filles.*
400. Clément Rosset : *Lettre sur les Chimpanzés.*
401. Louise de Vilmorin : *Le lit à colonnes.*
402. Jean Blanzat : *L'Iguane.*
403. Henry de Montherlant : *Les Bestiaires.*
404. Jean Prévost : *Les frères Bouquinquant.*

405. Paul Verlaine : *Les mémoires d'un veuf.*
406. Louis-Ferdinand Céline : *Semmelweis.*
407. Léon-Paul Fargue : *Méandres.*
408. Vladimir Maïakovski : *Lettres à Lili Brik (1917-1930).*
409. Unica Zürn : *L'Homme-Jasmin.*
410. V.S. Naipaul : *Miguel Street.*
411. Jean Schlumberger : *Le lion devenu vieux.*
412. William Faulkner : *Absalon, Absalon !*
413. Jules Romains : *Puissances de Paris.*
414. Iouri Kazakov : *La petite gare et autres nouvelles.*
415. Alexandre Vialatte : *Le fidèle Berger.*
416. Louis-René des Forêts : *Ostinato.*
417. Edith Wharton : *Chez les heureux du monde.*
418. Marguerite Duras : *Abahn Sabana David.*
419. André Hardellet : *Les chasseurs I et II.*
420. Maurice Blanchot : *L'attente l'oubli.*
421. Frederic Prokosch : *La tempête et l'écho.*
422. Violette Leduc : *La chasse à l'amour.*
423. Michel Leiris : *À cor et à cri.*
424. Clarice Lispector : *Le bâtisseur de ruines.*
425. Philippe Sollers : *Nombres.*
426. Hermann Broch : *Les Irresponsables.*
427. Jean Grenier : *Lettres d'Égypte, 1950,* suivi de *Un été au Liban.*
428. Henri Calet : *Le bouquet.*
429. Iouri Tynianov : *Le Disgracié.*
430. André Gide : *Ainsi soit-il* ou *Les jeux sont faits.*
431. Philippe Sollers : *Lois.*
432. Antonin Artaud : *Van Gogh, le suicidé de la société.*
433. André Pieyre de Mandiargues : *Sous la lame.*
434. Thomas Hardy : *Les petites ironies de la vie.*
435. Gilbert Keith Chesterton : *Le Napoléon de Notting Hill.*
436. Theodor Fontane : *Effi Briest.*
437. Bruno Schulz : *Le sanatorium au croque-mort.*
438. André Hardellet : *Oneïros* ou *La belle lurette.*
439. William Faulkner : *Si je t'oublie, Jérusalem. Les palmiers. sauvages.*
440. Charlotte Brontë : *Le professeur.*
441. Philippe Sollers : *H.*
442. Louis-Ferdinand Céline : *Ballets sans musique, sans rien*, précédé de *Secrets dans l'île* et suivi de *Progrès.*

443. Conrad Aiken : *Au-dessus de l'abysse.*
444. Jean Forton : *L'épingle du jeu.*
446. Edith Wharton : *Voyage au Maroc.*
447. Italo Svevo : *Une vie.*
448. Thomas de Quincey : *La nonne militaire d'Espagne.*
449. Anne Brontë : *Agnès Grey.*
450. Stig Dagerman : *Le serpent.*
451. August Strindberg : *Inferno.*
452. Paul Morand : *Hécate et ses chiens.*
453. Theodor Francis Powys : *Le Capitaine Patch.*
454. Salvador Dali : *La vie secrète de Salvador Dali.*
455. Edith Wharton : *Le fils et autres nouvelles.*
456. John Dos Passos : *La belle vie.*
457. Juliette Drouet : *« Mon grand petit homme... ».*
458. Michel Leiris : *Nuits sans nuit.*
459. Frederic Prokosch : *Béatrice Cenci.*
460. Leonardo Sciascia : *Les oncles de Sicile.*
461. Rabindranath Tagore : *Le Vagabond et autres histoires.*
462. Thomas de Quincey : *De l'Assassinat considéré comme un des Beaux-Arts.*
463. Jean Potocki : *Manuscrit trouvé à Saragosse.*
464. Boris Vian : *Vercoquin et le plancton.*
465. Gilbert Keith Chesterton : *Le nommé Jeudi.*
466. Iris Murdoch : *Pâques sanglantes.*
467. Rabindranath Tagore : *Le naufrage.*
468. José Maria Arguedas : *Les fleuves profonds.*
469. Truman Capote : *Les Muses parlent.*
470. Thomas Bernhard : *La cave.*
471. Ernst von Salomon : *Le destin de A.D.*
472. Gilbert Keith Chesterton : *Le Club des Métiers bizarres.*
473. Eugène Ionesco : *La photo du colonel.*
474. André Gide : *Le voyage d'Urien.*
475. Julio Cortázar : *Octaèdre.*
476. Bohumil Hrabal : *La chevelure sacrifiée.*
477. Sylvia Townsend Warner : *Une lubie de Monsieur Fortune.*
478. Jean Tardieu : *Le Professeur Frœppel.*
479. Joseph Roth : *Conte de la 1002e nuit.*
480. Kôbô Abe : *Cahier Kangourou.*
481. Rainer Maria Rilke, Boris Pasternak, Marina Tsvétaïeva : *Correspondance à trois.*

Composition IGS.
Impression Société Nouvelle Firmin-Didot
à Mesnil-sur-l'Estrée, le 5 août 2004.
Dépôt légal : août 2004.
Numéro d'imprimeur : 69598.

ISBN 2-07-029923-6/Imprimé en France.